大改正で
どう変わる？

新NISA 徹底活用術

少額投資非課税制度

竹川美奈子
Takekawa Minako

日本経済新聞出版

ＮＩＳＡを活用して資産形成の旅に出よう！

◆税制優遇のある制度を優先的に使いたい！

本書は2024年からスタートする新しい「ＮＩＳＡ（ニーサ）」について解説した本です。ＮＩＳＡというのは少額投資非課税制度のこと。英国のＩＳＡ（Individual Savings Account＝個人貯蓄口座）をモデルとしているため、その日本版ということでＮＩＳＡという愛称が付けられています。

2023年3月末現在、日本には3つのＮＩＳＡがあります。日本に住む、18歳以上の成人が利用できるのが一般ＮＩＳＡとつみたてＮＩＳＡ（積立型の少額投資非課税制度）。そして、18歳未満の未成年者が利用できるのがジュニアＮＩＳＡ（未成年者少額投資非課税制度）です。

図表0-1｜2024年から新しいNISAがスタート

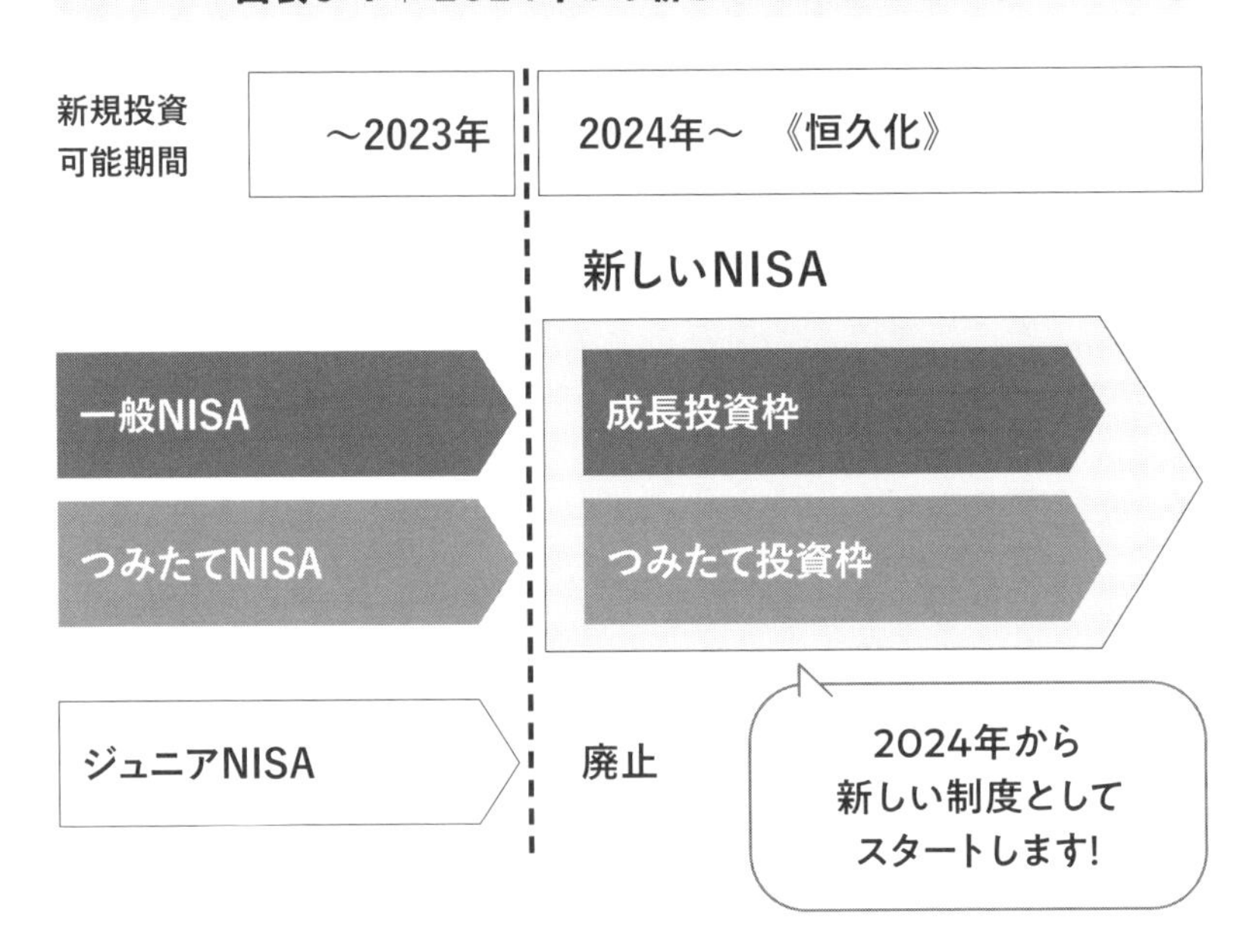

一般NISAについては2024年から2階建ての複雑な制度に衣替えする予定でしたが、こちらは全面撤回されました。そして、これまでの制度（3つのNISA）とは切り離して、2024年からは新たなNISA制度がスタートします（図表0－1）。

NISAについておさらいしましょう。通常、課税口座で上場株式や投資信託などに投資した場合、これらを売却して得た利益や受け取った配当に対して約20％の税金がかかります。それに対して、NISA口座という非課税の口座内で、毎年一定金額の範囲内で株式や投信などを購入すると、受け取る配当金や普通分配金、売却したときの利益などが非課税になります。つまり、利益に対して税金がかからない制度です。

例えば、投信を解約して１００万円の利益が出たとします。特定口座などの課税口座で取引をすると、利益１００万円から20％にあたる20万円の税金が差し引かれて、手元に入るのは80万円になってしまいます（ここではわかりやすくするために復興特別所得税は考慮していません）。この20％の税金がかからずに、株式や投信の値上がり益や配当、普通分配金などが非課税になるのがＮＩＳＡ口座です。ＮＩＳＡ口座での取引であれば利益に対して税金がかかりませんから、このケースでは１００万円をまるまる受け取ることができます。

利益が出たときや、配当金を受け取るときに約20％の税金が差し引かれるかどうかによって、手取り金額に大きな差が出ます。ＮＩＳＡ口座は非課税なわけですから、投資をするなら優先的に活用したほうがおトクです。長期的な資産形成・資産活用を考えている人は、かしこく使っていきましょう。

◆2024年に大改正！ NISAは恒久化・上限引き上げ

詳しくは第1章で解説しますが、NISAはとても使いやすくなります。図表0-2に新制度の概要をまとめましたが、制度は恒久化されてずっと利用できるようになりますし、非課税で運用できる期間も無期限化、つまりNISA口座内で投信や株式などを買うとずっと非課税で運用できます。

また、つみたてNISAを引き継ぐかたちの「つみたて投資枠」と一般NISAをほぼ受け継ぐかたちの「成長投資枠」の2つが同じ年にいっしょに使えるようになるので、1年に投資できる金額の上限は360万円（つみたて投資枠120万円＋成長投資枠240万円）に大幅アップ。一生涯で投資できる枠は1800万円までとされました。

もはや「少額」投資非課税制度とは言えないくらいの拡充です。多くの人にとって、資産形成を行うのに十分な金額だと思います。せっかくなら制度を理解して、活用したいところです。

本書では、2024年からスタートする「新しいNISA」について、しくみや対象となる商品、活用法から留意点までポイントをわかりやすく解説します。初心者でもわかりやすい表現を

図表0-2 ｜ 新しいNISAの概要

	つみたて投資枠	成長投資枠
対象年齢	18歳以上	
口座開設期間	恒久化	
非課税保有期間	無期限化	
非課税投資枠	合計360万円 年間120万円	年間240万円
生涯投資枠	1,800万円*	1,200万円（内枠）
投資対象商品	積立・分散投資に適した一定の投資信託 （現行のつみたてNISA対象商品と同じ）	上場株式・投資信託等 （①整理・監理銘柄 ②信託期間20年未満、高レバレッジ型及び毎月分配型の投資信託等を除外）
購入方法	積み立て	スポット購入／積み立て

＊簿価方式で管理（枠の再利用可能）

心がけました。また新しく始める人だけでなく、すでにつみたてNISAや一般NISAを利用している人はどうしたらよいのか、といった点についても丁寧に説明しています。

第1章「2024年スタートの新しいNISAってどんな制度?」では、2024年からスタートする新しいNISAの基本的なしくみを説明しています。

第2章「NISAをどう活用すればよいか」では、基本的なしくみを押さえつつ、NISAをどう活用していけばよいかを事例を交えつつ解説します。NISAは拡充されてよい制度になりましたが、どう使いこなすかは自分次第です。自分なりの資産設計を考える上でのヒントになるとうれしいです。

第3章「Q&A 丸わかり!新しいNISA」では、セミナーなどを通してよく頂戴するさまざまな疑問に対する答えをまとめました。「始める」から「続ける」「取り崩す」まで、幅広い質問にお答えしています。

第4章「どうなる?これまでのNISA」では、すでにつみたてNISAや一般NISA、そしてジュニアNISAを利用している人はどうなるのか、どう対応したらよいのかについてまとめました。

すでにいずれかのNISAを利用している場合には、第4章から先にお読みいただいてもよいですし、これから始める人は最初から順番に読み進めてもよいでしょう。せっかくなら、疑問点を解消し、有効に活用したいものです。

これからＮＩＳＡを利用して投資を始めたいと思っている方、すでにＮＩＳＡを利用して投資をしている方、そして、相談業務を行うアドバイザーの方などにも役立つ内容だと思います。本書がみなさまの資産形成・活用の一助になれば幸いです。

さあ、ＮＩＳＡを活用して資産形成の旅に出発しましょう！

２０２３年４月

竹川美奈子

目次

第2章 NISAをどう活用すればよいか 65

第3章 Q&A 丸わかり！ 新しいNISA

3 商品の選び方と活用法 143

第4章

どうなる？ これまでのNISA

重要事項（ディスクレーマー）

■ 本書に含まれる情報に関しては、著者が信頼できると判断した情報をもとに作成していますが、その内容および正確性、完全性、有用性について保証するものではありません。また、本書に記載された内容は2023年3月末時点において作成されたものであり、予告なく変更される場合があります。

■ 本書における情報はあくまでも情報提供を目的としたものであり、個別の商品の詳細については運用会社や販売金融機関（証券会社や銀行など）に直接お問い合わせください。また、投資信託の購入に際しては、必ず目論見書（投資信託説明書）をお読みください。

■ 情報の利用の結果として何らかの損害が発生した場合、著者および出版社は理由のいかんを問わず、責任を負いません。投資対象および商品の選択など、投資にかかる最終決定はご自身の判断でなさるようにお願い致します。

〈図表2-8～2-10に関する重要事項〉

・当資料はイボットソン・アソシエイツ・ジャパン株式会社（以下「イボットソン」）の著作物です。イボットソンの事前の書面による承諾なしの利用、複製等は、全体一部分を問わず、損害賠償、著作権法の罰則の対象となります。
・当資料は、投資助言ではなく、情報提供のみを目的としたものです。いかなる投資の推奨・勧誘を行う、あるいは示唆するものではありません。
・当資料に運用実績を表示している場合は、過去の実績又はシミュレーションによるものであり、将来の運用成果の獲得を示唆あるいは保証するものではありません。資料上に図表等で、将来時点に関する計算結果や数値を例示している場合は、仮想的な特定の条件のもとでの計算結果や数値の例示を目的としています。当資料に記載されている情報、データ、分析、レポート、意見は、当資料作成時点のものであり、将来予告なしに変更する場合もあります。
・当資料に掲載している情報は、イボットソンが信頼できると判断した資料に基づいていますが、その情報の正確性、完全性、適時性、及び将来の市況の変動等を保証するものではありません。
・イボットソンは、法律により定められている場合を除き、本レポートの情報、データ、分析、意見を利用して行ったいかなる投資の判断、損失、損害に責任は負いません。
・当資料にある指数はそれ自体運用商品ではなく、直接投資することはできません。過去のパフォーマンスは将来のリターンを保証するものではありません。
・Morningstarの商号、ロゴはMorningstar, Inc.の登録商標です。当資料には、Morningstarの専有情報が含まれており、Morningstarから事前の書面による承諾がない限り、当資料の一部あるいは全ての複製ならびに再配布等の使用はできません。

第1章

2024年スタートの新しいNISAってどんな制度？

1 2024年から新しいNISAがスタート

◆売却益や配当金が非課税に

NISA（少額投資非課税制度）とはどんな制度なのでしょうか。

「はじめに」でも少し触れましたが、NISAは証券会社や銀行などの金融機関でNISA口座（非課税口座）を開設し、株式投資信託や上場株式などを購入すると、売ったときの利益や受け取る配当金、普通分配金などが非課税になる[*1]制度です。

NISAを利用するには証券会社や銀行などの金融機関で「利益が非課税になる口座」であるNISA口座を開設する必要があります。NISA口座だけを単独で作ることはできず、証券総合口座を開設する必要があります[*2]（詳細は第3章Q5）。

＊1 普通分配金の場合。元本払戻金（特別分配金）は元本の払い戻しに相当するため、そもそも（課税口座でも）課税されていません。
＊2 すでにつみたてNISAか一般NISAを利用している人は、そのまま同じ金融機関に2024年からの新しいNISAの口座が開設されるので何もしなくて大丈夫です。

◆NISA口座の中に「つみたて投資枠」と「成長投資枠」の2つの箱

さて、そのNISAが2024年から大きく変わります。図表1-1に制度の概要をまとめました（図表0-2を再掲）。2024年からスタートする新しいNISAは、これまであった「つみたてNISA」と「一般NISA」を合体したような口座になります。

証券会社をはじめ、銀行、投資信託を（販売会社を通さずに）直接販売する運用会社などでNISA口座を開設すると「つみたて投資枠」と「成長投資枠」という2つの箱（別勘定）ができます（図表1-2）。口座開設は1人につき1つの口座（1金融機関）に限られます。2つの投資枠をそれぞれ別の金融機関にする、ということもできません。

金融機関によってNISA口座で購入できる商品の種類や、投信の最低積立投資額などが異なるので、口座開設前にしっかり確認しましょう。金融機関選びのポイントについては第3章の

図表1-1 | 新しいNISAの概要

	つみたて投資枠	成長投資枠
対象年齢	18歳以上	
口座開設期間	恒久化	
非課税保有期間	無期限化	
非課税投資枠	合計360万円 年間120万円	年間240万円
生涯投資枠	1,800万円*	1,200万円(内枠)
投資対象商品	積立・分散投資に適した一定の投資信託 (現行のつみたてNISA対象商品と同じ)	上場株式・投資信託等 (①整理・監理銘柄 ②信託期間20年未満、高レバレッジ型及び毎月分配型の投資信託等を除外)
購入方法	積み立て	スポット購入/積み立て

*簿価方式で管理(枠の再利用可能)

図表1-2 ｜ NISA口座を開設すると「つみたて投資枠」「成長投資枠」の2つの箱ができる

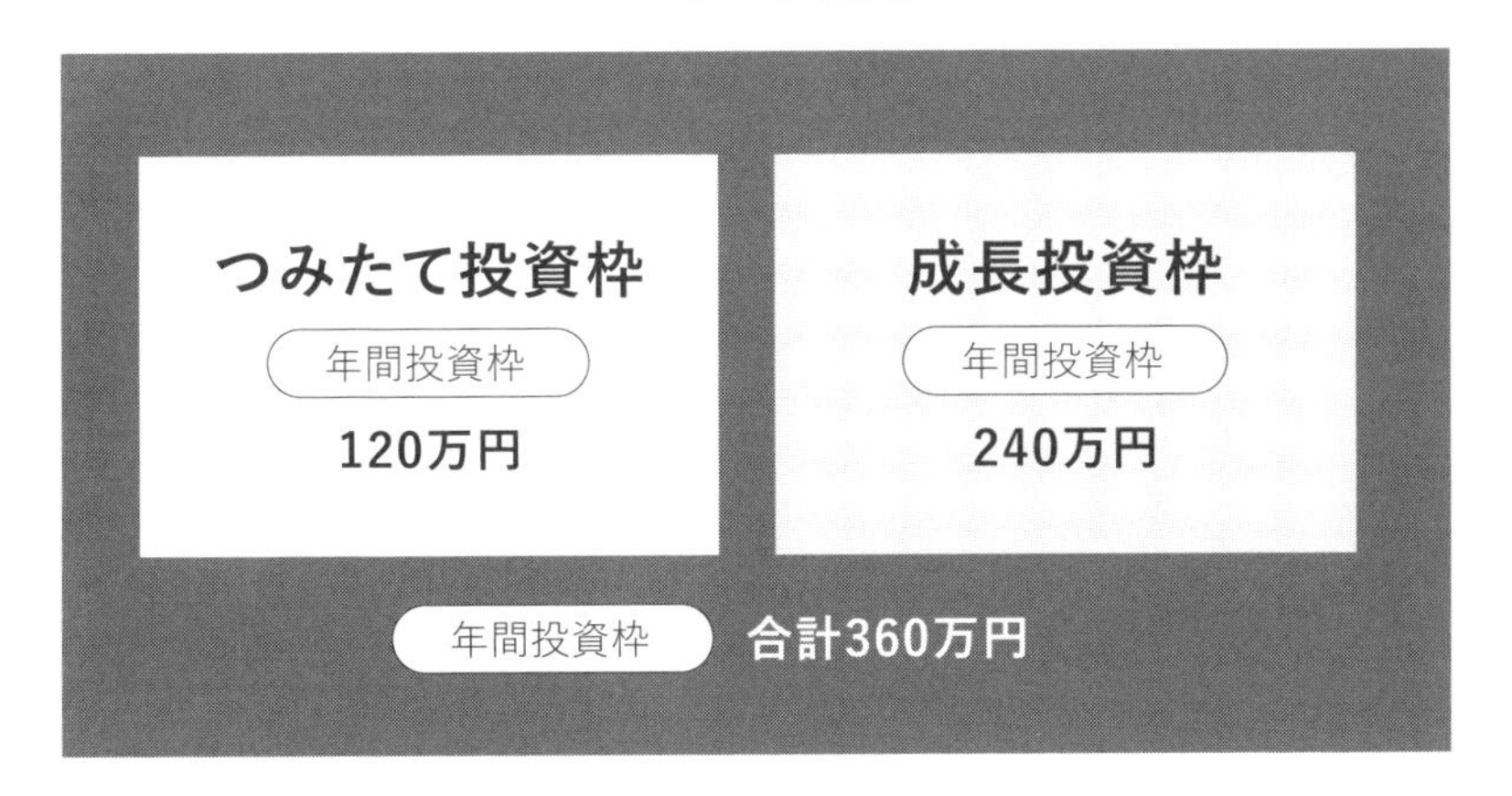

Q6で解説しています。

なお、2023年までにつみたてNISAや一般NISA口座を開設している人は、特段何もしなくても、同じ金融機関に自動的に新しいNISA口座が開設されて取引ができるようになります。ただし、商品の移管はできません。

2 新制度のポイント

それでは、新しいNISAの特徴についてみていきましょう。

◆利用できるのは18歳以上

日本国内に住んでいて、1月1日時点で18歳以上の人であれば、だれでもNISAを利用することができます。その条件さえ満たしていれば、どんな働き方の人でも利用できますし、年齢の上限もありません。

◆制度は恒久化!

2024年からの新制度は口座開設・投資できる期間が恒久化されます。ずっと続く制度になったことで、「いつまで利用できるかわからない」という不安もなくなり、安心して利用できるようになります。

また、恒久化されることで、一人ひとりの長期的なライフプランに沿った使い方(始める・続ける・取り崩す)もしやすくなります。生涯にわたっておつきあいできる制度になった、といってよいでしょう。

◆非課税で運用できる期間が無期限に

2024年以降にNISA口座で購入した商品については、ずっと非課税で運用し続けることができます(図表1-3)。通常、上場株式の配当金や株式投資信託の普通分配金に対しては約20%の税金が差し引かれますが、NISA口座で購入した商品についてはずっと非課税で受け取ることができますし、保有する商品を売ったときに利益が出ていても課税されません。

2023年までのNISAのように非課税期間に期限があると、「利益確定してしまいたい」といった誘惑に駆られたり、非課税期間終了時に「暴落していたらどうしよう」といった心配をしたりする人もいました。しかし、今回の改正により長期的な視点で運用ができるようになります。さらに、長期で運用を行うことで、資産が大きく育つことも期待できます。何より、「どこの何に投資しようか」「どう運用しようか」といった本質的なことを考えられるようになるはずです。

また、一般NISAの非課税期間は5年だったので、非課税期間が終了するときに非課税期間

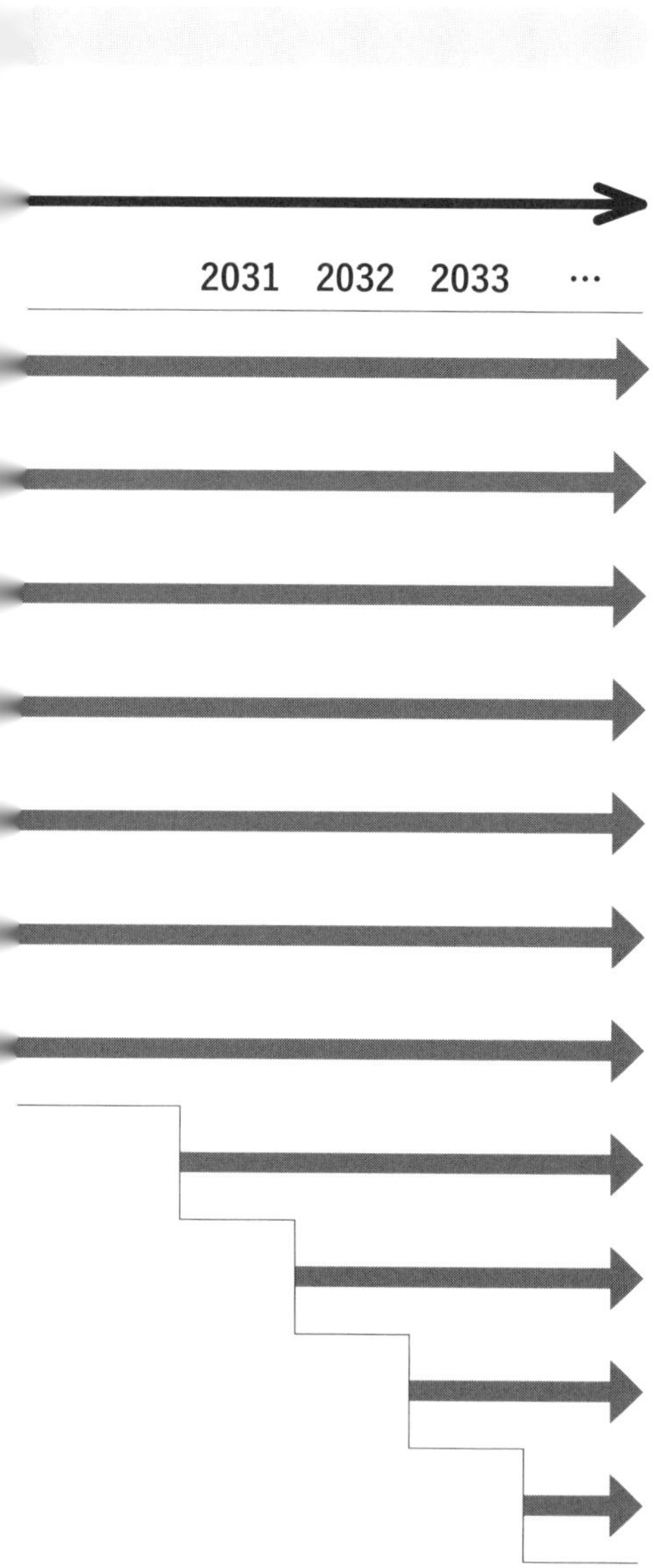

2031　2032　2033　…

図表1-3 | 制度の恒久化・非課税保有期間の無期限化!

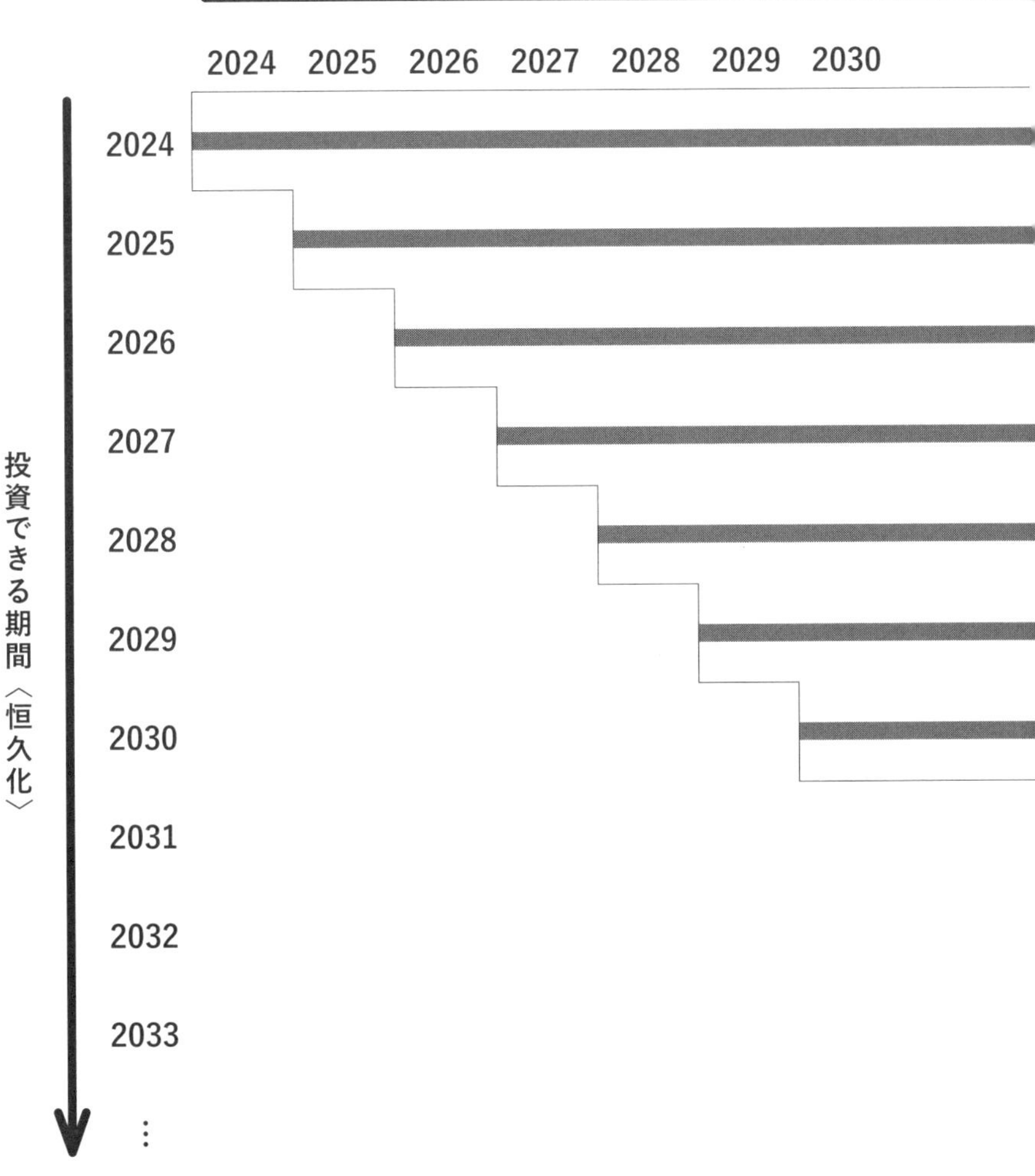

を延長するには、新しい非課税枠に移管するロールオーバーという手続きが必要でしたが、そうした手間も必要なくなります。

一方で、解約の自由度はこれまでどおり。お金が必要になったときには、いつでも運用する株式や投信の一部または全部を売って引き出すことが可能です。

◆「つみたて投資枠」と「成長投資枠」が両方使える

先ほど説明したとおり、NISA口座を開設すると「つみたて投資枠」と「成長投資枠」という2つの箱ができます。2023年までつみたてNISAと一般NISAは同じ年に両方をいっしょに利用することはできませんでしたが、新しいNISAでは同じ年に両方の枠をいっしょに使うことができます。

◆1年間に投資できるのは360万円まで

NISAでは1年間に投資できる金額が決まっています。これは、1年を通して金融商品を買った金額の累計です。つみたて投資枠の上限は年間120万円、成長投資枠は年間240万円までです。つみたて投資枠と成長投資枠はいっしょに使えますから、120万円と240万円を合算した360万円が新しいNISAの年間投資枠の上限となります。従来のつみたてNISA・一般NISAに比べて上限額が引き上げられたかたちです。

NISAの年間投資枠の上限360万円についてはいくつか決まりごとがあるので、覚えておきましょう。

- 新しいNISAで使える360万円という枠は新規に投資するお金になります。つみたてNISAや一般NISA、特定口座などの課税口座で保有している投信や株式を新しいNISAに移すことはできません。
- 投信の分配金を再投資した場合には「新規買い付け」とみなされ、非課税投資枠をその分使ったというふうにみなされます。
- 投資枠に買付手数料は含みません。例えば、株式を売買するときにかかる売買委託手数料などは含まれません。

つみたて投資枠と成長投資枠では、投資できる商品や投資の仕方が異なります。投資できる商品については、後の第3節、第4節でそれぞれみていきます。

◆生涯で使える非課税枠は1800万円

投資できる期間は恒久化されましたが、無制限に非課税投資枠が使えるわけではなく、生涯で使える枠の上限が決められています。1人当たり1800万円です。

生涯投資枠は一人ひとり管理され、取得価格（簿価）でカウントされます。[*3] 年間投資枠のところでも説明しましたが、1800万円というのは金融商品を買った金額の累計となります（簿価残高で管理）。そのため、金融商品を購入したあとに価格が上がってNISA口座内で保有する金融商品の時価評価額が1800万円を超えたとしても、そのままNISA口座で運用を続けることが可能です。簿価と時価については、このあともたびたび出てくるので、理解しておきましょう（図表1－4）。

また、生涯投資枠のベースはつみたて投資枠です（図表1－5）。成長投資枠は必ずしも使う必要はなく、つみたて投資枠だけで1800万円の生涯投資枠を埋めていくことも可能です。長

図表1-4 ｜ 簿価と時価の違い

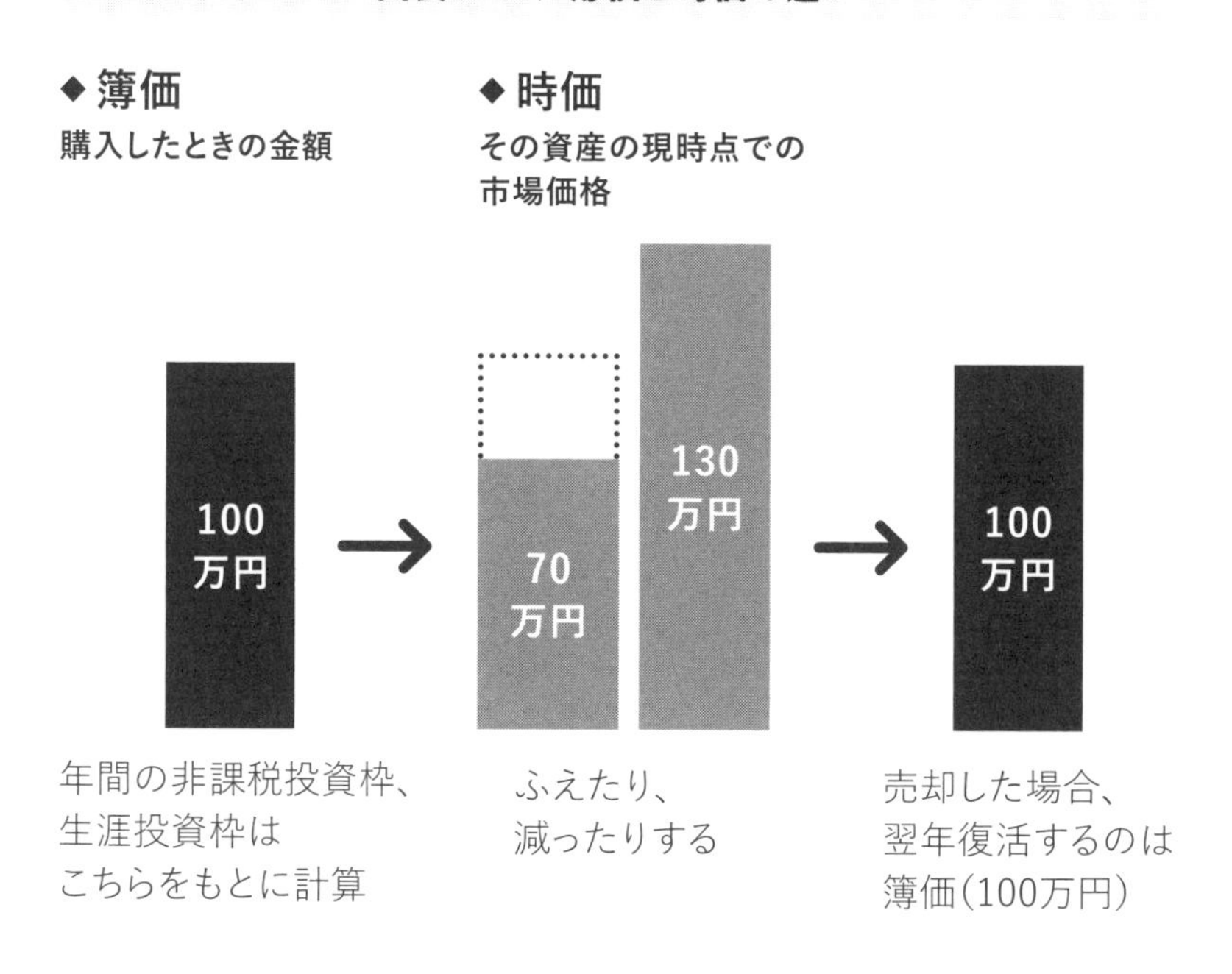

図表1-5 ｜ 生涯投資枠の考え方

投資できる金額の累計 1,800万円	つみたて投資枠 成長投資枠 1,200万円

生涯投資枠1,800万円は「つみたて投資枠」だけでも使えます

期に、分散された投信を活用して資産形成をするみなさんを応援しますよ、というのがつみたてNISAでしたが、その趣旨を引き継いでいるのがつみたて投資枠だからです。例えば、つみたて投資枠の対象商品を毎月5万円（年間60万円）ずつ30年間積み立てて、1800万円の枠を使うといった利用法も可能です。

もちろんつみたて投資枠と成長投資枠を併用する、あるいは成長投資枠だけを使うこともできます。ただし、併用した場合、生涯投資枠1800万円のうち成長投資枠で投資できるのは1200万円までとなります。成長投資枠だけを使う場合も同様で、1200万円が上限です。

＊3　金融機関から一定のクラウドを利用して提供された情報を国税庁で管理します。

◆売却しても翌年、投資枠が復活する

従来のつみたてNISAや一般NISAでは口座内で保有する株式や投信など

図表1-6 ｜ 生涯投資枠を再利用するイメージ

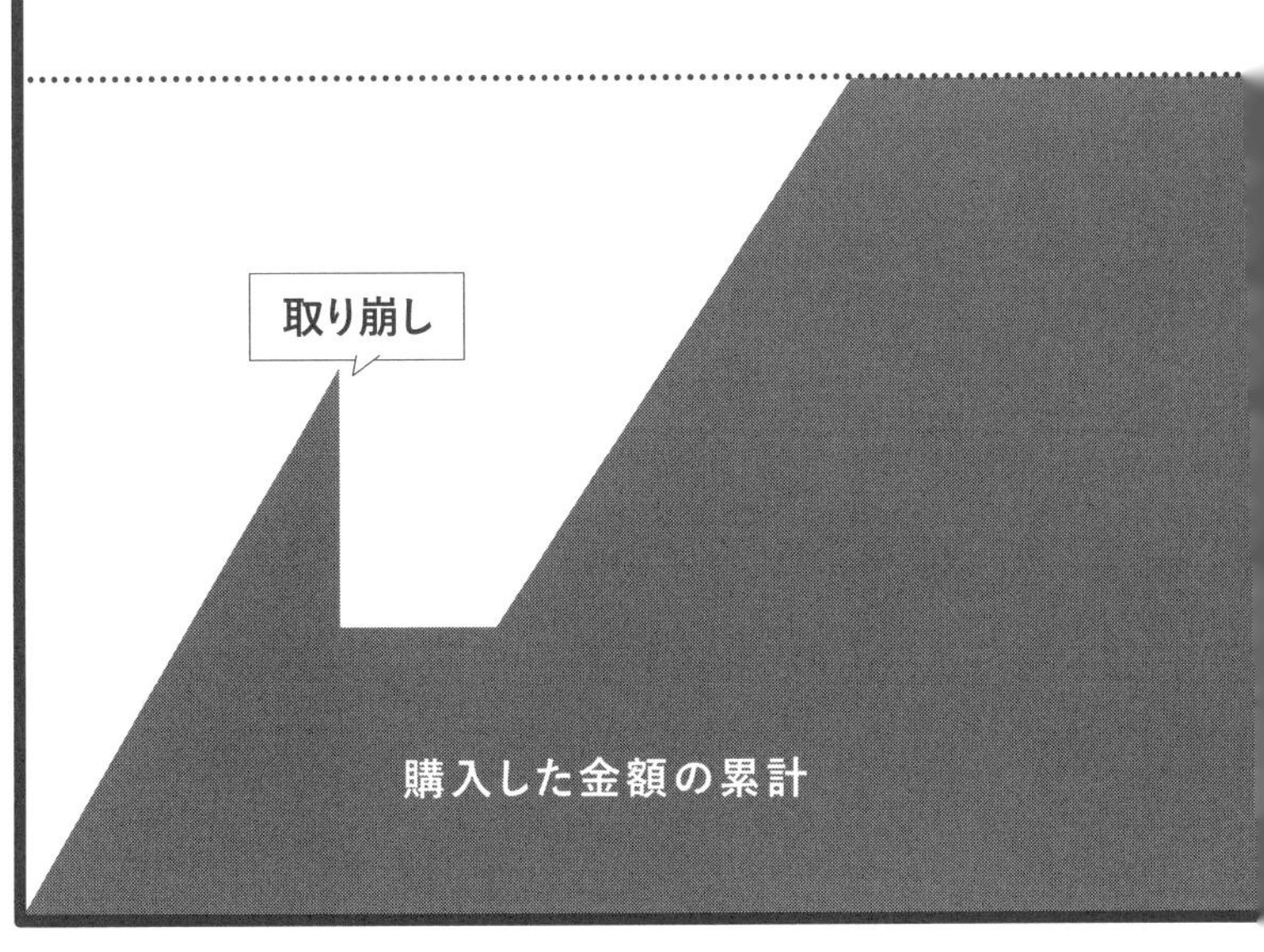

教育資金や住宅取得資金などで一時的に金融商品を
売却しお金を引き出しても、再び資産形成をしていける

を売却すると、非課税投資枠の再利用はできませんでした。しかし、新しいNISAでは売却して空いた分の枠が翌年には復活します。図表1-6は、生涯投資枠を再利用しながら使っていくイメージを図にしたものです。

復活する枠は買ったときの金額（簿価）で計算されます。例えば、累計で600万円分投資した投信が1000万円に値上がりしたとします。この投信を

図表1-7 ｜ 非課税枠を再利用するときのルール

・保有する商品を売っても非課税投資枠が復活する

・復活するのは売った金額（時価）ではなく、買ったときの金額（簿価）

・すぐに復活するわけではない ⇒ 再利用できるのは翌年

・年間投資枠（つみたて投資枠120万円、成長投資枠240万円）を超えて投資することはできない

全額（1000万円分）解約して引き出した場合、投資した価格（簿価）ベースで「利用枠が600万円分空いた」とみなされ、枠を再度利用できるようになります。

ただし、翌年600万円分の枠を使えるようになるわけではなく、年間投資枠（つみたてNISA枠120万円、成長投資枠240万円）の範囲内で投資する必要があります。図表1-7に非課税投資枠を再利用するときのルールをまとめました。

枠の再利用ができることで、仮に生涯投資枠の上限である1800万円に達しても、一部あるいは全部を解約すると枠は復活し、再びNISA口座で投資することができます。例えば、お子さんの教育費や住宅購入などでお金が必要になったときに、一部を解約してその資金にあて、余裕ができたら再び投資を再開することも可能になります。もっとも、あまり頻繁に引き出して使ってし

まっては資産形成に支障をきたします。あくまでも資金が必要になったときに解約するのが基本です。

◆スイッチング（預け替え）はできない

枠の再利用はできますが、iDeCo（個人型確定拠出年金）や企業型DC（確定拠出年金）のように口座内で商品のスイッチング（預け替え）をすることはできません（図表1-8）。例えば、iDeCoでは口座内でA投信を300万円分（時価評価額）解約して、その300万円でB投信を購入するといったことが可能です。

NISA口座の場合、投信や株式を売ると、そのお金はNISA口座から出て、現金化されます。そのため、NISA口座内で売却したお金を使って別の投信を購入するといったことはできません。

ただ、1年間に利用できる非課税枠はふえたので、例えば、成長投資枠（年間240万円）で利用できる枠が余っていれば、その枠の範囲内で、別の投信を購入することができます。年間投資枠に空きがない場合でも、翌年以降に預け替えたいと思っていた別の投信を購入する（または

図表1-8 ｜ NISA口座内でスイッチングはできない

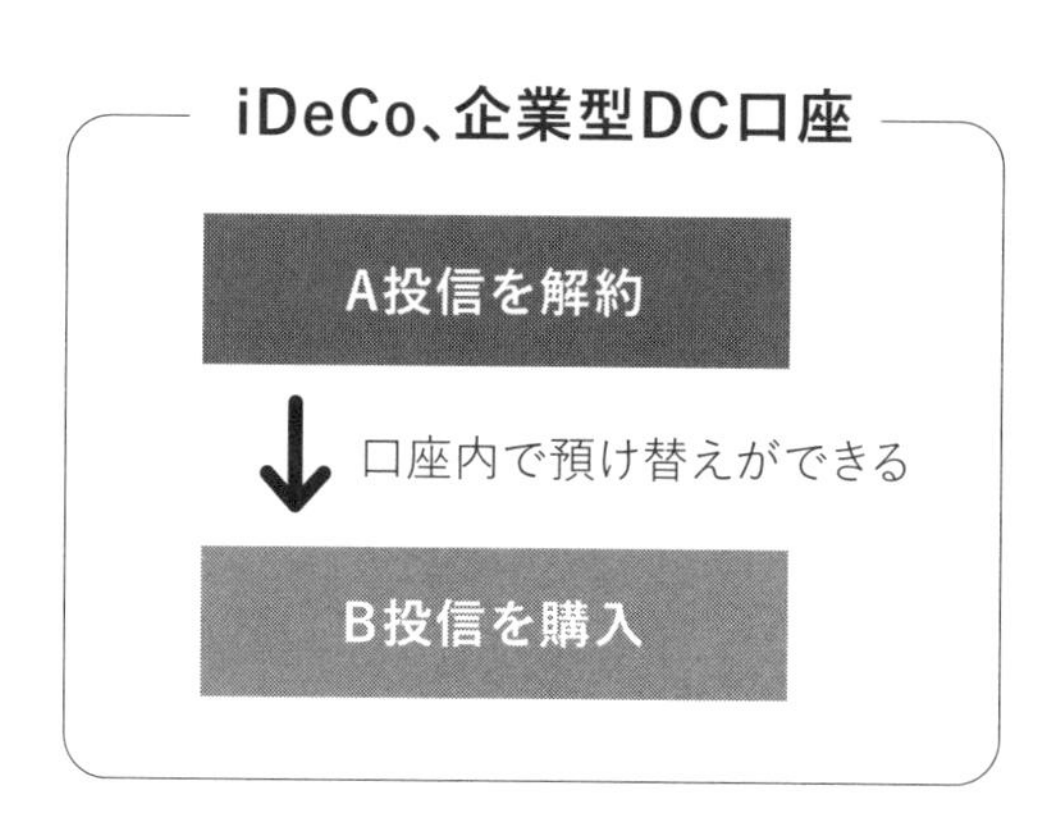

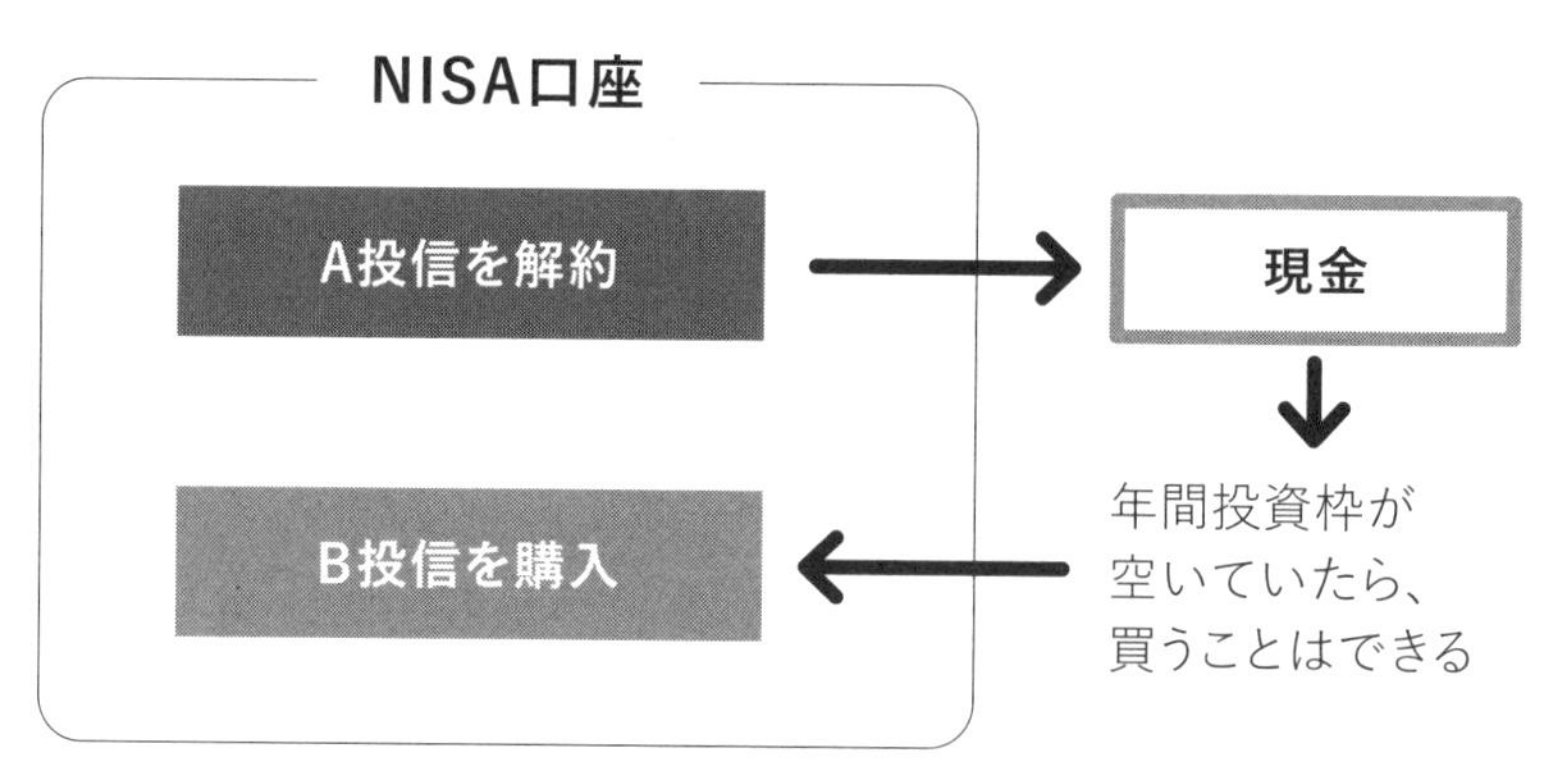

つみたて投資枠で積み立てる）こともできます。

将来的にはＮＩＳＡ口座内でスイッチングができるようになるとよいですね。そうなると、若いうちは株式に投資する投信で積み立てていき、人生後半になったら、もう少しリスクの低い商品に預け替える、といったこともできるようになります。

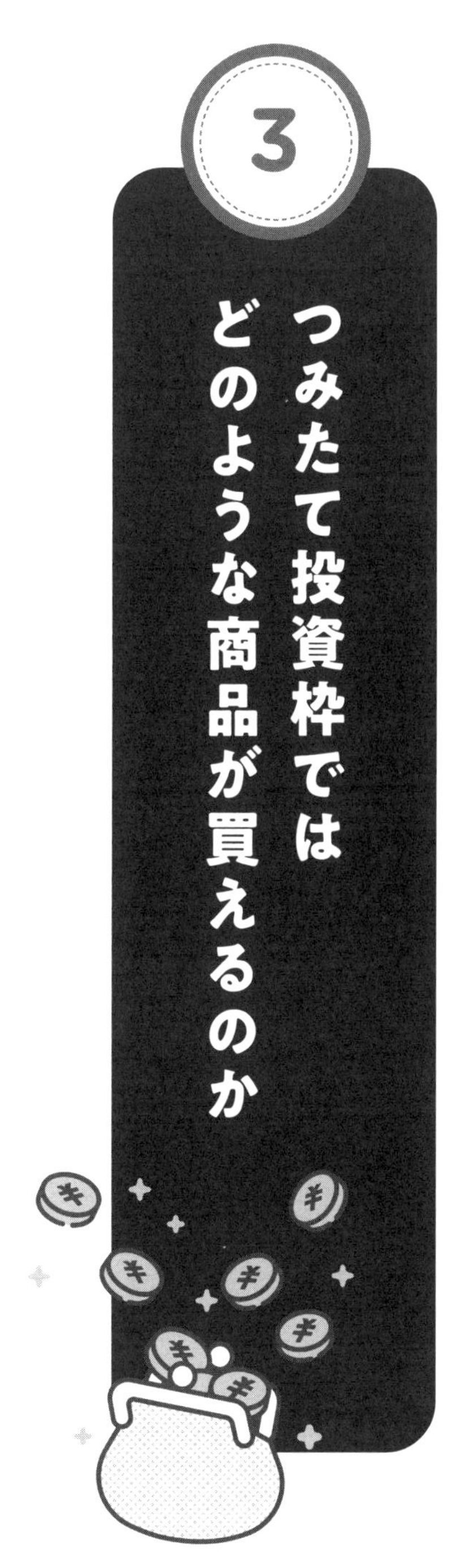

◆対象は一定の条件を満たした投信

つみたて投資枠で購入できるのは、従来のつみたてNISA対象商品と同じ、厳しい条件をすべて満たした株式投資信託とETF（上場投資信託）です。2023年7月31日現在、購入できる商品は246本です。主に投資信託についてみていきます。

・株式に投資する投信か、株式を含むバランス型

投信のうち対象となるのは、実際に「株式」に投資している投信か、「株式」を含むバランス型（資産複合型）の投信に限られます。

株式に投資をする投信というのは、例えば、日本株に投資するものや、先進国株に幅広く投資するもの、日本を含む世界の株式に丸ごと投資するタイプの投信などです。

バランス型投信は、株式と債券、株式と債券と不動産というように、必ず株式を含めたセット商品になっている必要があります。債券のみに投資する投信や、ＲＥＩＴ（リート＝不動産投資信託）のみに投資する投信などは対象外です。

・実態はほとんどがインデックスファンド

対象商品は、

①指定された指数[*4]に連動するインデックスファンド

②指定された指数に連動するインデックスファンド以外の投信

③ＥＴＦ（上場投資信託）

の３つのタイプに分けられます。[*5]

この３タイプのうち大部分を占めるのは、①指定された指数に連動するインデックスファンドです（図表１－９）。

図表1-9 | つみたてNISA対象商品は3タイプ

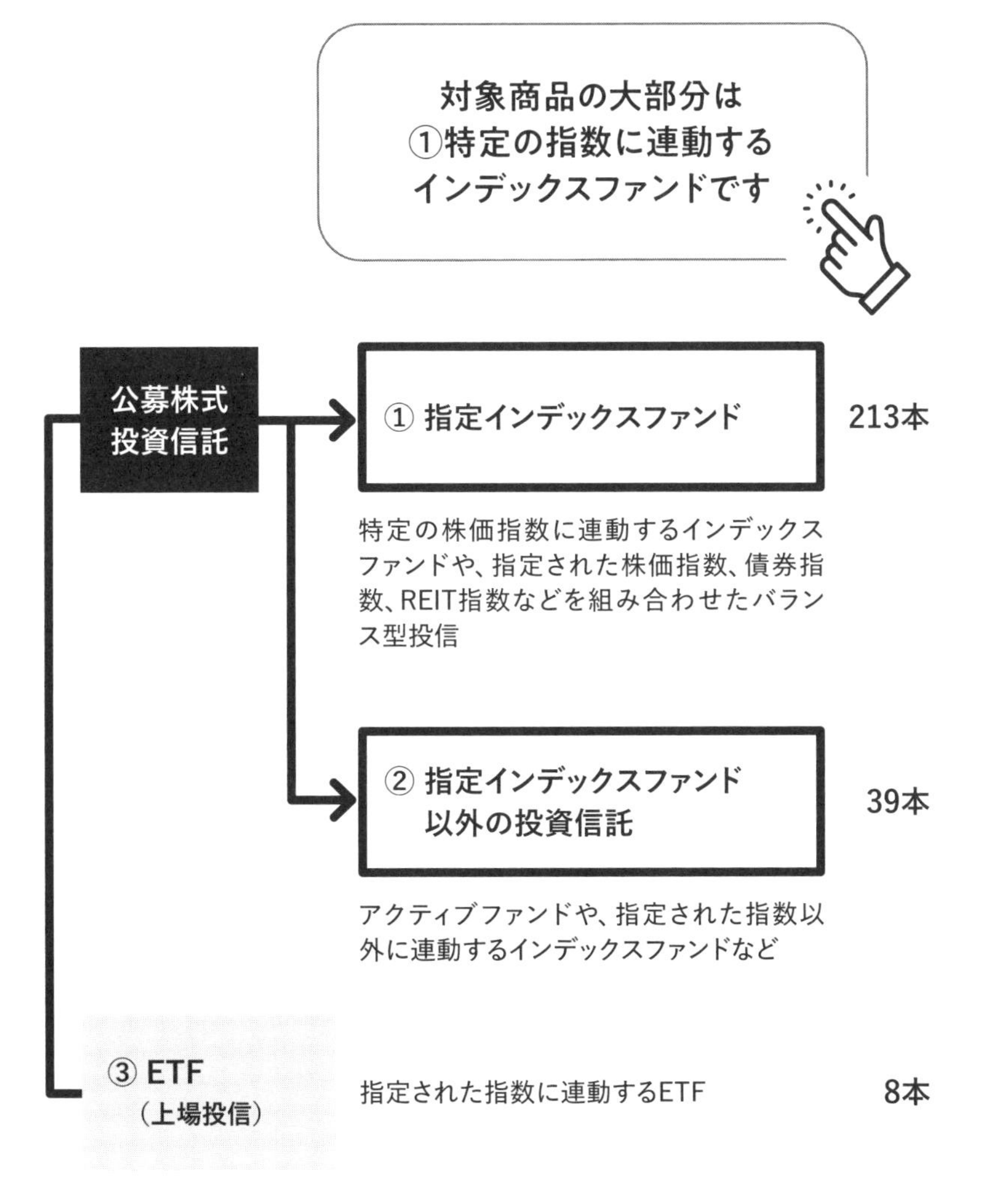

（注）2023年11月14日時点

インデックスファンドとは、目標として設定した指数に連動して動くタイプの投信のこと。例えば、日本株の場合、TOPIX（東証株価指数）や日経平均株価といった指数と同じように動くことをめざしています。ある程度まとまった市場全体の動きを反映するように運用するものが多いです。例えば、日本を含む世界47カ国の約3000社をカバーするMSCIオール・カントリー・ワールド・インデックスに連動する投信や、日本を除く先進国22カ国・約1300社をカバーするMSCIコクサイ・インデックスに連動するように設計された投信などがあります。

あるいは、株式と債券、株式と債券とREITというように、指定された株価指数や債券指数、REIT指数に連動するタイプの投信を組み合わせたバランス型の投信なども対象です。例えば、4資産のほか、6資産や7資産、8資産を組み合わせた商品などです。

＊4　指数（インデックス）とは、あるまとまった市場全体の動きを反映するように作られた「モノサシ」のようなもの。マーケット全体の動きに連動する主要な指数をあらかじめ指定しています。

＊5　①から③のタイプはすべて次の要件をクリアしたものです。

・信託期間（＝設定日から運用期間の最終日である償還日までの期間）が無期限または20年以上。無期限の場合はずっと運用される
・決算頻度が毎月でないこと（＝毎月分配型ではない）
・ヘッジ目的の場合を除き、デリバティブ取引による運用を行っていないこと
・金融庁へ届出がされていること
・受益者ごとに、年に1回、信託報酬等の概算値が通知されること

◆購入できる3タイプの中身

タイプ①の投信は指定された指数に連動する必要があり、購入時手数料はすべて無料、保有中にかかる運用管理費用（信託報酬）という手数料も上限が決められている（国内資産対象の投信は0・5％以下、海外資産を含むものは0・75％以下[*6]）など、基準が細かく決められています。

昨今、インデックスファンドの運用管理費用（信託報酬）の低コスト化が進み、実際の対象商品は法令上の上限よりかなり低い水準になっています。投資先を国内とする指定インデックスファンドの信託報酬は平均で0・242％、投資先を内外・海外とする指定インデックスファンドは平均0・3％です（2023年10月末現在）。

＊6　信託報酬は税抜きの数値。ファンド・オブ・ファンズにおける投資対象ファンドの信託報酬を含みます。

②指定インデックスファンド以外の投信は、アクティブファンドや、指定されていない指数に連動するインデックスファンドなどになります。

アクティブファンドとは、指数にとらわれない運用をめざす投信のこと。独自の運用方針や投資プロセスに沿って投資する会社などを選んで投資します（図表1－10。投信の詳細は第1章末

図表1-10 ｜ 投資信託には2つの運用スタイルがある

	パッシブ運用	アクティブ運用
入っている銘柄	だいたい目標とする指数と同じ銘柄が入っている	運用会社が一定の投資哲学・プロセスにもとづいて「ピックアップ」する
運用の狙い	目標とする指数と同じように動くことをめざす	指数にとらわれない運用をめざす
手数料	低い	高め
	インデックスファンド	アクティブファンド
	市場全体にまとめて投資	選んで投資

のコラム参照)。

指定されていない指数というのは、例えば、ニューヨーク・ダウや中小型株の指数などです。

②の投信は手数料水準だけでなく、「純資産総額(投資信託の資産)が50億円以上ある」「設定から5年以上たっている」「設定来、資金流入超の回数が3分の2以上」といった条件も加味されています。そのため、条件をクリアする投信が少なく、①に比べて本

数は少なめです。確定拠出年金（iDeCoや企業型DC）でも利用されているものや、積立投資を行う受益者（投信の保有者）の割合が高い投信などが多いのが特徴です。

そして、③ETF（上場投信）も①と同様、指定された指数に連動している必要があります。本数は8本とごくわずかです（2023年5月現在）。

このように、つみたて投資枠で購入できるのは、投資対象が幅広く分散された投信が中心。購入時手数料はすべて無料で、運用管理費用（信託報酬）も一定水準以下のものに限定されています。ただし、ETFは投信と違い、購入時・売却時に手数料がかかることがあります。

一定の条件を満たしている投信やETFについては運用会社が金融庁に届出し、金融庁のウェブページで公表されます。

具体的な商品選びのポイントについては第2章をご覧ください。

4 成長投資枠ではどのような商品が買えるのか

◆個別株や海外ＥＴＦも買える

成長投資枠は従来の一般ＮＩＳＡとほぼ同じ商品が購入できます。具体的には、上場株式や公募株式投資信託、ＥＴＦ、海外ＥＴＦ、ＲＥＩＴなどです（図表１－11）。

投資信託のうち、対象は株式投資信託になっていますが、これは実際に株式に投資をしていなくても、「株式に投資できる」設計になっていればＯＫ。そのため、債券やＲＥＩＴだけに投資している投信や、株式と債券など複数の資産にまとめて投資をしているバランス型投信なども含まれます。

図表1-11 | 成長投資枠で買える主な商品

●上場株式等※
・整理・監理銘柄に指定されている上場株式は除外

●公募株式投資信託・ETF（上場投資信託）
・信託期間20年未満
・毎月分配型
・高レバレッジ型　　は除外

●REIT（上場不動産投資信託）
・高レバレッジ型は除外

※ETF、REITを含む

一方、預金や債券（個人向け国債や米国債など）、株式には一切投資できない公社債投資信託はNISAの対象外です。例えば、外貨MMF（マネー・マーケット・ファンド）などには投資できません。また、FX（外国為替証拠金取引）や金、プラチナ取引などもNGです。

・毎月分配型や運用期間の短い投信は対象外に

このほか、一般NISAで購入できた商品のうち、成長投資枠では除外される商品もあります。

例えば、整理銘柄・監理銘柄に指

定された上場株式です。すでに上場廃止が決まっている会社、もしくは上場廃止のおそれがある会社の株式は購入できません。

また、投信・ETFは、

- 信託期間20年未満
- 毎月分配型
- 高レバレッジ型

の商品については除外されます。そのため、大きな値上がり益を追求する分、大きな値下がりもあるブルベア型[*7]や、しくみが複雑な通貨選択型の投信、運用期間が短いテーマ型の投信などは成長投資枠で購入できなくなります。

＊7　ブル型は相場に対して強気な立場を取り、デリバティブを利用して相場の上昇に対して2倍、3倍の投資成果をめざす投信。ベア型は相場に対して弱気の立場を取り、デリバティブを利用して相場が下落することによって利益をめざす投信のこと。

◆つみたて投資枠で買える商品も買える

購入したい商品が成長投資枠の対象になっているかは、どこで確認すればよいのでしょうか。

投資信託協会では、成長投資枠のうち運用会社から届け出のあった国内籍の公募投資信託や上場投資信託（ETF）、上場投資法人（REITやインフラファンド）を同協会のホームページに掲載する予定です。[*8] また、投資家が容易につみたて投資枠、成長投資枠の対象か否かを識別できるように、投信を購入するときに読む必要がある「交付目論見書」に記載するなどの工夫をするよう検討しています。

なお、つみたて投資枠で購入できる商品は成長投資枠で買える商品の要件も満たしていますから、成長投資枠でも購入することができます。つみたて投資枠と成長投資枠で、つみたてNISA対象商品となっている同じ投信を積み立てることもできますし、つみたて投資枠と成長投資枠で別の商品を購入することもできます。

＊8　法令上、成長投資枠の対象商品を、事前に個別に要件該当性を判定することは金融庁も投資信託協会も行わない。

◆つみたて投資枠は積み立て限定、成長投資枠は一括購入もＯＫ

つみたて投資枠はその名のとおり、購入方法は積み立てに限定されます。「一定額を」「定期的に」「継続的に」買っていくことになります。「毎月」積み立てをしていくケースが多いと思いますが、毎日でも、毎週でも、隔月でもＯＫです。年2回以上であれば、制度上は積み立てとみなされます。また、毎月一定額を積み立てていき、ボーナス時に増額するという方法もあります。ただし、金融機関により設定できる頻度は異なります。

１年間に投資できる枠の上限は１２０万円ですから、例えば、毎月積み立てる場合には月10万円まで積み立てが可能となります。これはあくまでも上限額なので、無理してめいっぱい投資枠を使う必要はありません。積立額の変更は可能なので、最初は無理のない金額から始めて、徐々にふやしていくこともできます。制度上、１年間に投資できる上限額は決まっていますが、投信を積み立てるときの最低金額は決まっていません。金融機関によってさまざまです。例えば、大手ネット証券では１００円から始められます。

指定した銀行口座や証券口座で積み立てていく方法のほか、最近はクレジットカードで投信の積み立てができる金融機関がふえています。例えば、ＳＢＩ証券では三井住友カード、楽天証券では楽天カード、マネックス証券ではマネックスカード、ｔｓｕｍｉｋｉ証券ではエポスカードが利用でき、ポイントも付与されます。

一方、成長投資枠は一括購入も、積み立てもできます。例えば、株式やＥＴＦ、投信などを一括で購入することもできますし、投信を積み立てで購入していくことも可能です。

5 注意点も押さえておこう

◆トクするのは利益が出たときだけ

ＮＩＳＡ口座は解約したときに利益が出ていれば非課税になりますが、逆に損をしたときには、ほかの課税口座（特定口座や一般口座）と損益を相殺することができません。ＮＩＳＡ口座では利益がなかったとみなされる代わりに損もなかったとみなされるからです（図表1－12）。そのため、年間を通して投資信託や上場株式を売却したときに損が出ている場合、その損を確定申告することで3年間繰り越して、翌年以降の利益と相殺できる制度（上場株式等に係る譲渡損失の損益通算及び繰越控除）を利用することもできません。

図表1-12 ｜ NISAは「損益」の概念がない

利益が出た	損をした
↓	
利益がなかったとみなされる	損がなかったとみなされる
税金がかからない	損益通算や損の繰り越しができない

つまり、値上がりをしてもうけが出ているときには非課税の恩恵を受けることができますが、損をしたときは損益通算などのメリットを享受できません。ただただ損を受け入れるというかたちになります。

◆配当金を証券口座で受け取らないと税金がかかる

成長投資枠で株式の配当金やＥＴＦの分配金（以下、まとめて配当金といいます）を非課税で受け取るためには、配当金の受領方法を「株式数比例配分方式」に事前に登録する必要があります。

株式やＥＴＦの配当金は次の３つの方法で受け取ることができます（図表１‐13）。

①ゆうちょ銀行や郵便局などに「配当金領収証」を持ち

図表1-13　配当金の受け取り方法

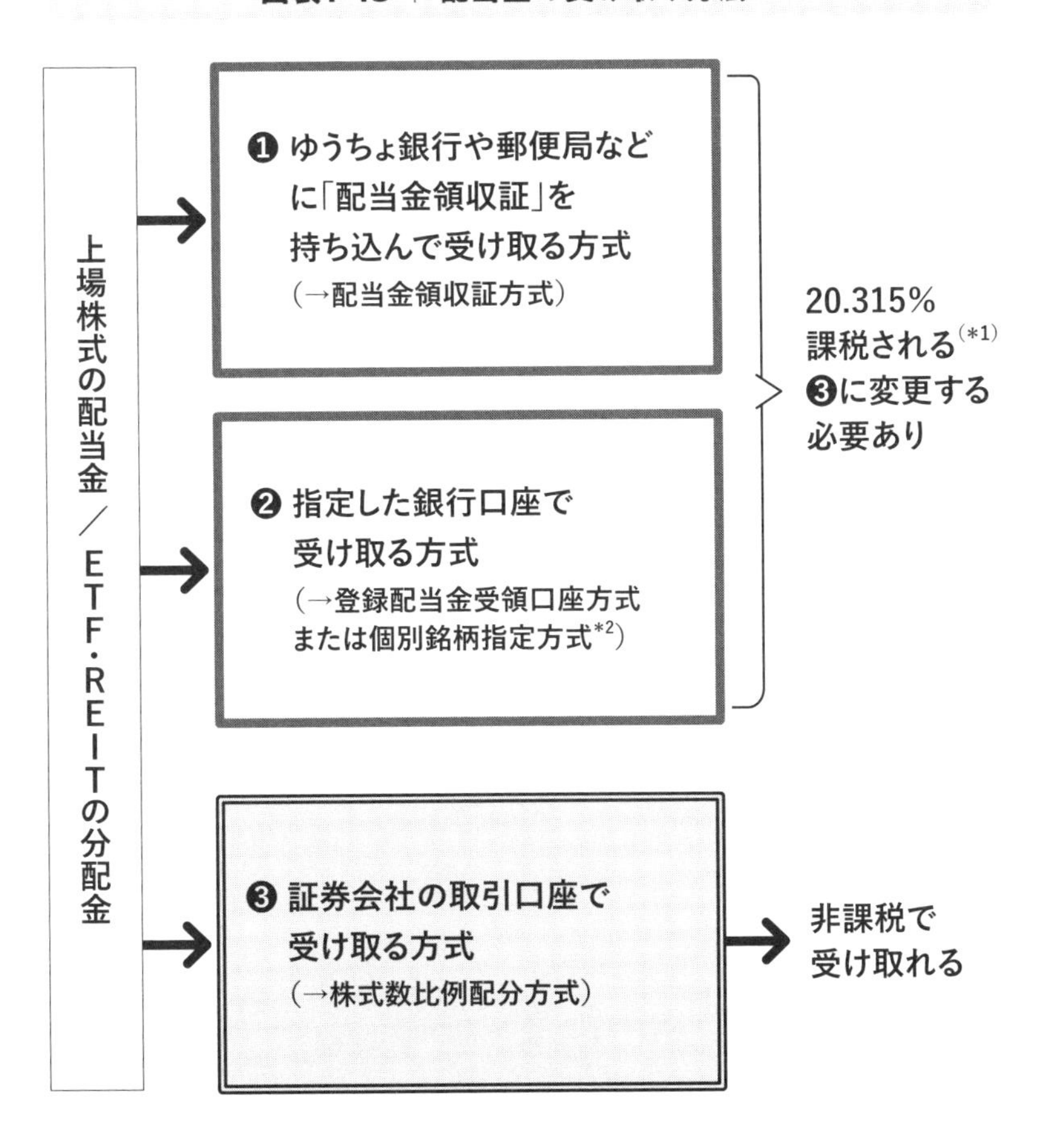

*1：2037年12月31日までは復興特別所得税の対象となるため。それ以降は20%に。
*2：登録配当金受領口座方式は所有するすべての銘柄の配当金を1つの銀行口座で受け取る方法。個別銘柄指定方式は所有する銘柄ごとに銀行口座を指定する方法。

込んで受け取る方式

②指定した銀行口座で受け取る方式

③証券会社の取引口座で受け取る方式（株式数比例配分方式）

このうちＮＩＳＡ口座で株式やＥＴＦの配当金を非課税で受け取れるのは、③を選んだ場合だけです。せっかくＮＩＳＡ口座で株式やＥＴＦを購入しても、①や②を選択していると、配当金は非課税にはならず、20・315％の税金が差し引かれます。

もし①や②の受け取り方式を選択している場合には、権利確定日[*9]までに配当金の受け取り方法を③に変更すれば非課税で受け取れます。１つの証券会社で手続きをすると、同じ証券会社の課税口座やほかの証券会社で保有している株式、ＥＴＦについてもすべて同じ扱いになります。つまり、保有している株式やＥＴＦの配当金はすべて③の方式で受け取ることになります。

＊9　配当金など株主に権利が与えられることが確定する日のことで、会社ごとに決まっています。

◆海外転勤の予定がある人は慎重に

ＮＩＳＡは資産形成のために活用してほしい制度ではありますが、海外転勤の予定がある人は慎重に考えたほうがよいかもしれません。2019年4月から、NISA口座を開設・利用している人が海外転勤などにより一時的に出国する場合、出国日の前営業日までに「非課税口座継続適用届出書」を金融機関に提出すると、最長5年まで[*10]NISA口座内で商品保有が可能となりました（新規の買い付けは不可）。帰国後に「非課税口座帰国届出書」を提出すると、再びNISA口座で新規の買い付けができるようになります（図表1－14）。

ただ、一部大手証券や信託銀行などは対応しているものの、ネット証券では大部分が対応していません（2023年3月末現在）。対応していない場合、NISA口座を利用している人が非居住者となると、NISA口座で保有している商品は一般口座（課税口座）に払い出されてしまいます（一般口座については第3章Q5参照）。一般口座に払い出された金融商品を帰国後にNISA口座に戻すことはできません。

また、そもそも非居住者になったら、特定口座などの課税口座も含めて口座は持てないというところもあり、非居住者に対しての対応は各金融機関で異なります。

これから海外転勤をする予定がある人にとって、NISAは使い勝手が悪い可能性もあるので、NISA口座開設をするか否か、口座開設する金融機関をどこにするかなどは慎重に検討しましょう。口座開設前に確認することをおすすめします。5年を超える海外勤務が想定される場

で運用が可能

帰国しなかった場合

NISA口座は廃止。NISA口座内の上場株式や投信は一般口座へ移管

「非課税口座継続適用届出書」を提出した日から5年を経過した年の12月31日

例）2023年4月海外転勤 → 2028年12月末まで

合には、無理にNISA口座を開設しないという選択肢もあります。なお、ジュニアNISAは海外出国時の5年非課税の適用対象外です（詳細は第4章3節参照）。

＊10 出国日の前営業日までに「非課税口座継続適用届出書」を（金融機関に）提出すると、①「非課税口座帰国届出書」を提出する日と②「非課税口座適用継続届出書」を提出した日から起算して5年を経過する日の属する年の12月31日のいずれか早い日までは居住者等に該当する者とみなされ、引き続きNISA口座を利用できます。

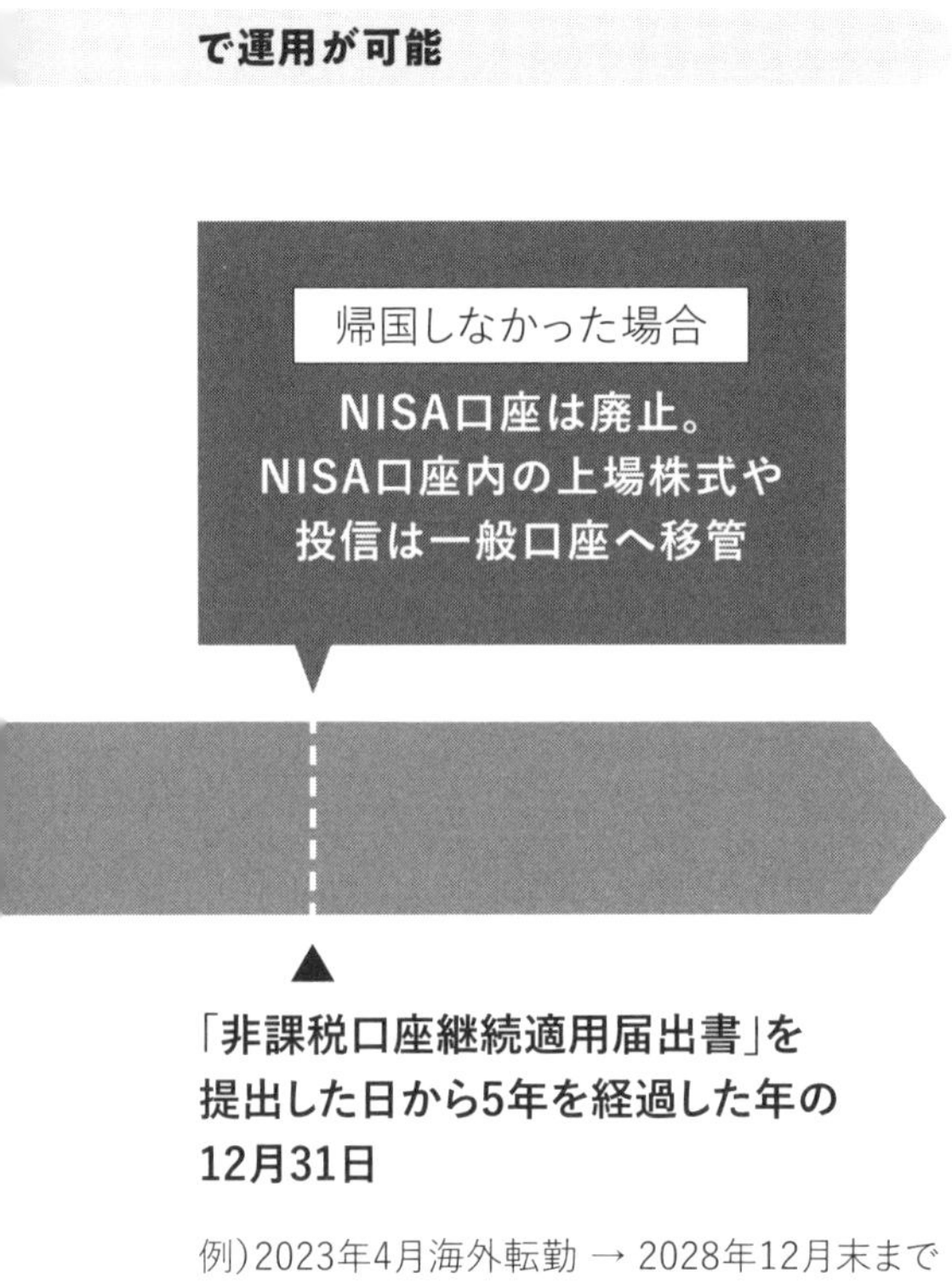

図表1-14 | 2019年4月から海外転勤でも5年までNISA口座

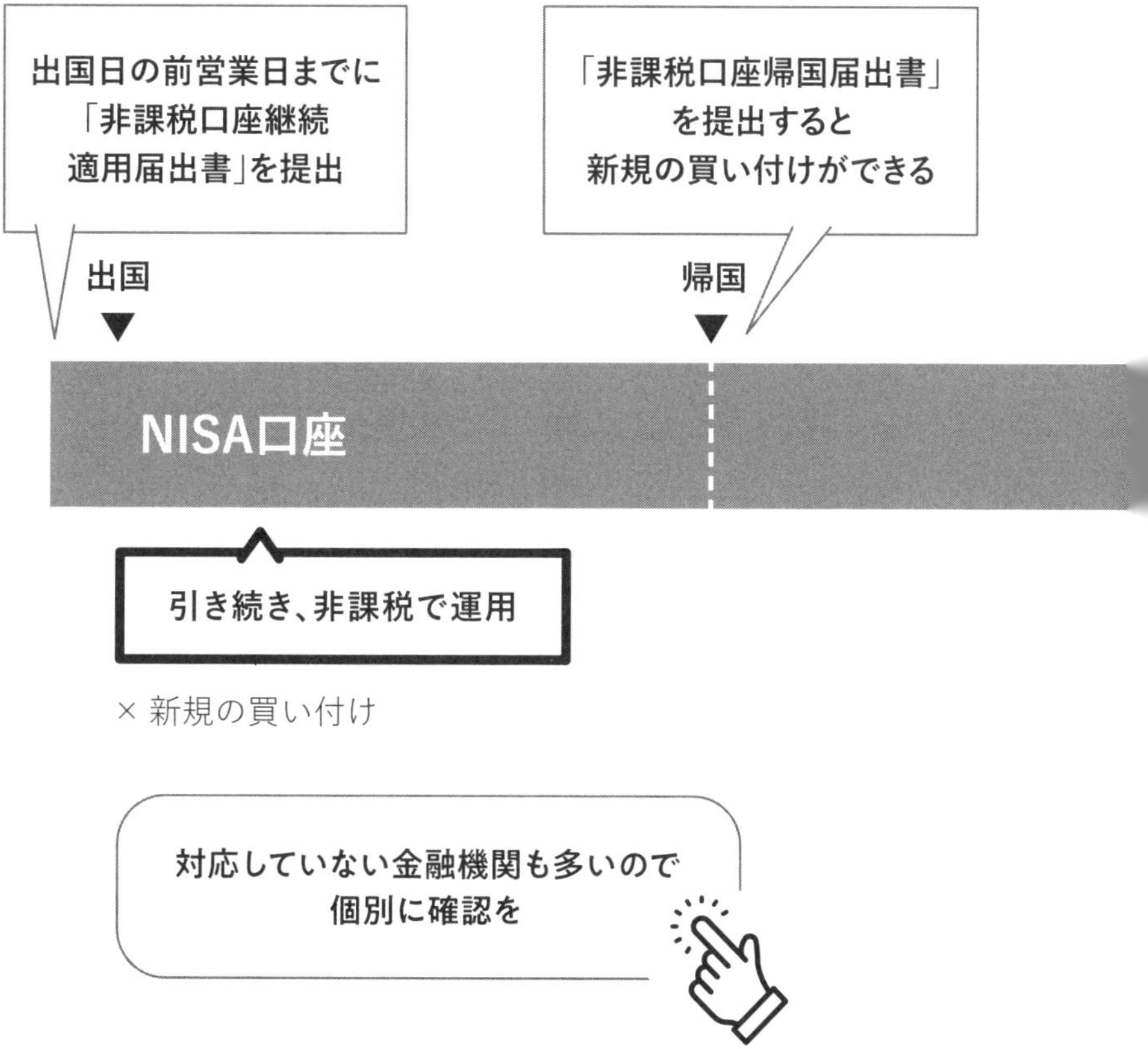

出国日の前営業日までに
「非課税口座継続
適用届出書」を提出

「非課税口座帰国届出書」
を提出すると
新規の買い付けができる

出国

帰国

NISA口座

引き続き、非課税で運用

× 新規の買い付け

対応していない金融機関も多いので
個別に確認を

- ＮＩＳＡは株式や投信の売却益や配当金にかかる税金が非課税になる制度です。２０２４年から新しい制度としてスタート。「つみたて投資枠」と「成長投資枠」の両方を利用できます。

- ＮＩＳＡは２０２４年から非課税期間が無制限になり、１年間に投資できる枠が３６０万円に拡大します。生涯投資枠は１８００万円までで、売却すると翌年には非課税投資枠（簿価）が復活します。

- つみたて投資枠で買えるのは一定の条件を満たした投信・ＥＴＦで、ほとんどがインデックスファンドです。成長投資枠では、個別株や海外ＥＴＦなども買うことができます。毎月分配型や高レバレッジ型の投信などは対象外に。

Column

投資信託って何？

◆お金を集めて投資する「詰め合わせ」

投資信託というのは、私たち投資家からお金を少しずつ集めてひとまとまりにし、そのお金を運用の専門家が運用してくれる金融商品です。個人の場合、投資にあてる金額や時間に限りがあります。けれど、一人ひとりが出すお金はそれほど多くなくても、まとまった数百億円、数千億円になると、個人ではアクセスしにくい地域や国に投資したり、たくさんの株式や債券などに投資したりすることができます。つまり、専門家が目利きをして、投信という「器」に株式や債券な

Column

どを入れるお弁当箱のような「詰め合わせ（パッケージ）」商品なのです。たくさんの会社の株式などが入った詰め合わせですが、今ではオンラインで100円から購入することもできます。そして、運用成果に応じて、価格が上がったり、下がったりします。投資信託は「投信」あるいは「ファンド」と呼ばれることもあります。

◆投資信託は中身によって性格が変わる

ひと口に投信といっても、その中身は多岐にわたります。例えば、トヨタ自動車やコマツといった日本企業の株式だけが入った詰め合わせもあれば、アップルやマイクロソフト、ネスレといった海外先進国の企業の株式だけが入った商品もあります。株式だけでなく、債券や不動産など、投信という「器」に何が入っているかは商品によって異なります。個々の商品によって特徴や性格も大きく違うため、その中身をきちんと調べて、理解することがとても大切です。

◆パッシブ運用とアクティブ運用の違い

投信の運用方法には、大きく分けて、パッシブ（消極的）運用とアクティブ（積極的）運用があります。パッシブ運用というのは、簡単にいうと、既存の指数（インデックス）とそっくりに株式や債券を買う運用手法のことです。例えば、日本株の場合、日経平均株価やＴＯＰＩＸ（東証株価指数）などの指数と同じように動くことをめざすインデックスファンドが代表的な商品になります。

インデックスファンドにはたくさんの会社の株式や債券が入っています。例えば、ＭＳＣＩオール・カントリー・ワールド・インデックスは、ＭＳＣＩ Ｉｎｃ．が開発した株価指数で、世界の先進国・新興国47カ国、約３０００社の株式が入った詰め合わせになります。たくさんの会社が入っている分、１社１社

Column

の割合は小さくなります。

一方、アクティブファンドは一定の「基準」にもとづいて、入れたい会社だけを抜き出して箱に詰め合わせたものです。例えば、厳選した30社だけを入れたものもあれば、200社近い会社が入ったものもあります。基本的な考え方（投資哲学）や会社を選ぶためのプロセスなどは商品によって異なります。そして、会社を新たに組み入れる基準やタイミングなども決まっています。アクティブファンドを選択する場合には、こうした基準・情報がきちんと開示されている商品が望ましいでしょう。会社選びなどに手間がかかる分、手数料はインデックスファンドより高めです。

投信について初歩から詳しく知りたい人は、『改訂版 一番やさしい！一番くわしい！はじめての「投資信託」入門』（竹川美奈子著、ダイヤモンド社）をご参照ください。

第2章

NISAを
どう活用すれば
よいか

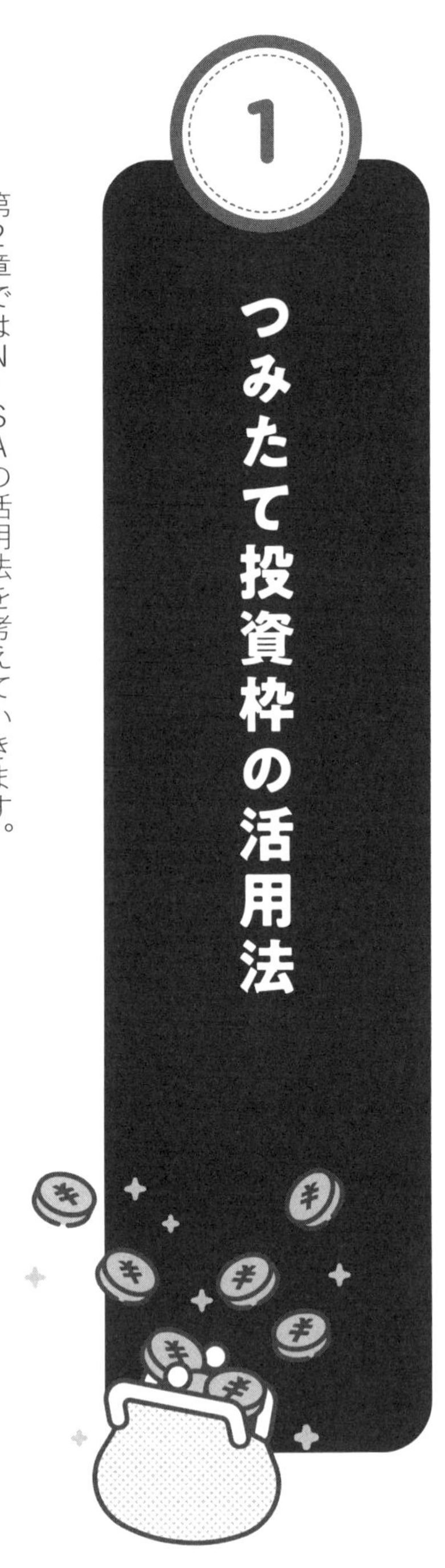

1 つみたて投資枠の活用法

第2章ではＮＩＳＡの活用法を考えていきます。

２０２４年からＮＩＳＡは投資できる期間が恒久化され、非課税期間も無期限になります。生涯で投資できる非課税枠の累計は１８００万円あるため、年齢やライフステージ、運用できる期間、投資に回せる金額などによってさまざまな活用が考えられます。

◆現役世代はつみたて投資枠を優先的に利用

現役世代が資産形成を行う場合、まず優先したいのが「つみたて投資枠」です。

図表2-1｜つみたて投資枠だけで生涯投資枠を使える

投資できる金額の累計 1,800万円	つみたて投資枠

生涯投資枠1,800万円はつみたて投資枠だけでも使える

つみたて投資枠を使って、幅広く分散投資を行い、資産形成の土台となる部分をつくることが大切です。つみたて投資枠の非課税投資枠の上限は年間120万円ですから、毎月投信を積み立てていく場合は月10万円まで積み立てることができます。

・生涯投資枠はつみたて投資枠だけでもOK

新しいNISAの生涯投資枠は1人当たり1800万円までです。そのうち成長投資枠を使う場合には1200万円が上限となります。そのため、生涯投資枠1800万円から成長投資枠1200万円を差し引いた600万円がつみたて投資枠で使える上限だと思っている人がいますが、それは誤解です。生涯投資枠すべてをつみたて投資枠で埋めることも可能です（図表2－1）。

◆運用期間を長く取れる人は株式投信を中心に運用

つみたて投資枠の対象となっている投資信託は、株式に投資する投信か、株式を含むバランス型（資産複合型）に限定されています。現役世代で、長い期間をかけて運用していける人は、株式に投資する投信をメインに据えたいところです。

株式は、長期的には債券（国や会社などにお金を貸す代わりに発行してもらう借用書のようなもの）よりも高いリターンが期待できます。ただ、長期的に価値が向上していくとしても、短期的には株価が大きく変動することもあります（第2章末のコラムを参照）。

株式投資というのは、株式を買って会社のオーナー（持ち主）の1人になることです。例えば、世の中に必要とされる商品・サービスを提供して成長していくと、自分の持ち分の価値も高まります。つまり、いい会社を見つけて投資をし、長期で株式を保有することで、その会社の成長の果実を分け合う（シェア）のが株式投資です。

ただ、1つの会社に絞ると、その会社が大きく成長して株価が上がることもあれば、逆に上場廃止や倒産（価値がなくなる）という事態もありえます。そこで大切なのが、投信を使って世界中の会社の株をまとめて持つ（＝世界中の会社のオーナーになる）という視点です。世界全体では必要な商品・サービスを欲する人たちが大勢いて、生活水準も向上していきます。世界の株式のパッケージを持ち、そうした大きな流れに乗っていきましょう。

例えば、ある程度まとまったお金を定期預金に預けているような場合、ＮＩＳＡのつみたて投資枠で購入していくものはすべて株式に投資する投信にあてるという選択肢も十分あるでしょう。特に、積立投資を行う場合、金融資産全体でみたら、当初は金額的にはそれほど多くないでしょうし、並行して預貯金もためていくはずです。

・若い世代ほど時間を味方にできる

若い世代ほど人的資本（将来の稼ぎ力の総和）が大きいので、短期的な変動に耐えることもできます。短期的に大きく下がっても、稼ぐ力があるのですぐに引き出す必要性が低いですし、万一損失をこうむっても稼いだお金でリカバリーができます。また、若いときには金融資産自体がそれほど大きくないので、一部で大きなリスクをとっても金額的にそれほど影響を与えないからです。ただし、人によって差があるので、家計の資産や負債、収支の状況、運用できる期間、投資に回せるお金などを整理しておく必要があります。

以降で、具体的な投信の選び方を解説していきます。

	新興国
	・MSCIエマージング・マーケット・インデックス ・FTSE Emerging Index ・FTSE RAFI Emerging Index

◆投信1本で世界株に投資

株式に投資をする場合、まずは世界の株式にまとめて投資することを考えましょう。世界の株式にまとめて投資するには、いくつ

図表2-2｜世界の株式を持つ方法

	日本	先進国
①	・MSCIオール・カントリー・ワールド・インデックス ・FTSEグローバル・オールキャップ・インデックス	
②	・TOPIX	・MSCIオール・カントリー・ワールド・インデックス（除く日本）
③	・TOPIX	・MSCIコクサイ・インデックス
③	・FTSE Developed All Cap インデックス	
		・S&P500 ・CRSP U.S.Total Market Index

かの方法があります（図表2－2）。

①は1本で日本を含む世界の株式にまとめて投資する方法です。具体的には「MSCIオール・カントリー・ワールド・インデックス（MSCI ACWI〔エムエスシーアイ・アクウィ〕）」や、「FTSEグローバル・オールキャップ・インデックス」に連動することをめざすインデックスファンドに投資します。

MSCI ACWIは先進国23カ国、新興国24カ国の合計47カ国、約3000社（大型株と中型株＝比較的時価総額の大きい会社）をカバーしているため、MSCI ACWIに連動する投信はそれだけの国・会社にまとめて投資できます。FTSEグローバル・オールキャップ・インデックスは、日本を含む世界47カ国の大型株、中型株から比較的規模の小さい小型株まで、9000社弱で構成されています。

例えば、前者、MSCI ACWIに連動する投信には「eMAXIS Slim 全世界株式（オール・カントリー）」（三菱UFJアセットマネジメント）や「楽天・オールカントリー株式インデックス・ファンド」（楽天投信投資顧問）などがあります。後者の代表例は「SBI・V・全世界株式インデックス・ファンド〈愛称：SBI・V・全世界株式〉」（SBIアセットマネジメント）などです（図表2-3）。

◆インデックスファンドを組み合わせる

何本かのインデックスファンドを組み合わせることで、世界の株式にまとめて投資するという方法もあります。例えば、図表2-2の②や③の方法です。

②は日本株と日本を除く世界株（先進国株と新興国株がセットになったもの）を組み合わせる

図表2-3 ｜ 日本を含む世界株に投資するインデックスファンド例

商品名 （運用会社）	運用管理費用 （信託報酬・税込）	対象とする指数
eMAXIS Slim 全世界株式 （オール・カントリー） （三菱UFJアセットマネジメント）	年 0.05775% 以内	MSCIオール・カントリー・ワールド・インデックス （配当込み、円換算ベース）
たわらノーロード 全世界株式 （アセットマネジメントOne）	年 0.1133%	MSCIオール・カントリー・ワールド・インデックス （配当込み、円換算ベース）
楽天・オールカントリー株式 インデックス・ファンド （楽天投信投資顧問）	年 0.05775%	MSCIオールカントリー・ワールド・インデックス （配当込み、円換算ベース）
SBI・V・全世界株式 インデックス・ファンド 愛称：SBI・V・全世界株式 （SBIアセットマネジメント）	年 0.1338% 程度(*)	FTSEグローバル・オールキャップ・インデックス （円換算ベース）

＊ 投資対象とする投資信託証券の信託報酬を加えた実質的な負担
（注）2023年11月時点

方法です。例えば、「MSCIオール・カントリー・ワールド・インデックス（除く日本、配当込み、円換算ベース）」に連動する投信なら、1本で先進国と新興国の株式にまとめて投資できます。「eMAXIS Slim 全世界株式（除く日本）」（三菱UFJアセットマネジメント）や「野村つみたて外国株投信」（野村アセットマネジメント）、「三井住友・DCつみたてNISA・全海外株インデックスファンド」（三井住友DSアセットマネジメント）などがあります（図表2－4）。

③のように先進国株と新興国株に投資する投信をそれぞれ組み合わせる方法もあります。例えば、先進国株のインデックス投信には「〈購入・換金手数料なし〉ニッセイ外国株式インデックスファンド」（ニッセイアセットマネジメント）や「eMAXIS Slim 先進国株式インデックス」（三菱UFJアセットマネジメント）、「たわらノーロード 先進国株式」（アセットマネジメントOne）などがあります（図表2－5）。

個人投資家の方に取材をしていると、「複数の投信を組み合わせるのは難しい」「面倒」という声を耳にします。まずは1本で世界の株式にまとめて投資できる、幅広く分散された商品を購入したいという場合には①が選択肢になります。

図表2-4 ｜ 日本を除く世界株に投資するインデックスファンド例

商品名（運用会社）	運用管理費用（信託報酬・税込）	対象とする指数
eMAXIS Slim 全世界株式（除く日本）（三菱UFJアセットマネジメント）	年0.05775%以内	MSCIオール・カントリー・ワールド・インデックス（除く日本、配当込み、円換算ベース）
野村つみたて外国株投信（野村アセットマネジメント）	年0.209%	MSCIオール・カントリー・ワールド・インデックス（除く日本、配当込み、円換算ベース）
三井住友・DC つみたてNISA・全海外株インデックスファンド（三井住友DSアセットマネジメント）	年0.275%	MSCIオール・カントリー・ワールド・インデックス（除く日本、配当込み、円換算ベース）

（注）2023年11月時点

図表2-5｜先進国株に投資するインデックスファンド例

商品名 （運用会社）	運用管理費用 （信託報酬・税込）	対象とする指数
たわらノーロード 先進国株式 （アセットマネジメントOne）	年 0.09889%	MSCIコクサイ・ インデックス （配当込み、円換算ベース）
〈購入・換金手数料なし〉 ニッセイ外国株式 インデックスファンド （ニッセイアセットマネジメント）	年 0.09889% 以内	MSCIコクサイ・ インデックス （配当込み、円換算ベース）
eMAXIS Slim 先進国株式インデックス （三菱UFJアセットマネジメント）	年 0.09889%	MSCIコクサイ・ インデックス （配当込み、円換算ベース）

（注）2023年11月時点

すでに日本株（個別株や日本株に投資する投信）を保有している場合には、日本を除く世界株に投資する投信や先進国株に投資する投信だけを積み立てていくという選択肢もあります。

◆インデックスファンド選びの注意点

インデックスファンドを選ぶ場合、つみたて投資枠で購入できる商品は限定されていますし、すべて購入時手数料はゼロ（ノーロード）で、保有中にかかる運用管理費用（信託報酬）にも上限が設定されています。ただ、そうはいっても注意点はあります。

対象商品がふえてきて、総資産総額の少ない投信も目立つようになりました。残高が少ないと繰上償還（本来の運用終了予定よりも前に運用がストップされること）される可能性がありま す。投信が繰上償還された場合は解約と同じ扱いになります。ETF（上場投資信託）が上場廃止になったときも同様です。ですから、なるべく繰上償還される可能性の低い商品を選びたいところです。

そこで、どの指数に連動するインデックスファンドを買うか決めたら、

・運用管理費用（信託報酬）が相対的に低いか

という視点に加えて、

・資金が安定的に流入しているか、純資産総額が安定的にふえているか

といった点もチェックしましょう。月次レポートや、投信評価会社のウエルスアドバイザー（旧モーニングスター）のウェブサイトなどで確認できます。

◆アクティブファンドは〝主体的に〟選ぶ

ここまでインデックスファンドを中心に説明してきましたが、つみたて投資枠、成長投資枠ともに株式に投資するアクティブファンドを購入することもできます。

つみたて投資枠の対象となっているアクティブファンドについては、手数料水準[*1]だけでなく、純資産総額50億円以上で、運用実績が5年以上あり、資金が安定的に流入している商品が選ばれています。そのため、確定拠出年金（企業型DCやiDeCo〈個人型確定拠出年金〉）などを通して販売されてきた商品や、積立投資を続ける投資家が多い投信などが目立ちます。

まずはつみたてNISA対象商品の中から運用方針などが記載された交付目論見書や月次レポートをしっかり読みましょう。投信の説明会（動画・対面の説明会など）があれば視聴・参加

したりするなど「主体的に」調べ、その上で、納得・共感するものがあれば候補に加えてもよいでしょう。その際、5つのP（Philosophy＝投資哲学、Process＝投資プロセス、Portfolio＝ポートフォリオ、People＝運用体制、Performance＝運用実績[*2]）に沿って調べてみるとよいでしょう。そういう意味では、購入するか否か、持ち続けてよいかどうかを判断する上でも、情報開示がしっかりしている投信の中から選ぶのが大前提です。一般投資家が投信を評価するアワード「投信ブロガーが選ぶ！ Fund of the Year」のサイト（特に投票者のコメント）などは参考になります。[*3]

一部のアクティブファンドでは、運用報告会で投資先のビジネスモデルを学ぶ、投資先企業の訪問ツアーを企画するといったイベントを行っており、社会人として役に立つ知識や刺激を得られる可能性もあります。ただ、そうした投信は少数です。自分で調べる手間・時間がない、面倒という人はインデックスファンドだけでも十分です。

＊1　購入時手数料なし。信託報酬の水準が一定以下（国内資産を対象とするものは1％以下、海外資産を対象とするものは1・5％以下）。

＊2　リターンやリスク、運用の効率性を示す指標であるシャープレシオなど。

＊3　http://www.fundoftheyear.jp/2022/

◆バランス型投信を活用する

長期で運用するなら、株式に投資する投信をメインに据えたいところですが、それでも値動きが大きいのは抵抗があるという人もいるようです。本来は、投資する金額で調整する（＝投資に回す金額を減らす）のが望ましいのですが、「値動きをもう少しマイルドにしたい」「長期で運用しない可能性もある（引き出す時期が比較的近いかもしれない）」という人は、バランス型投信を活用するという選択肢もあります。

バランス型投信というのは、株式だけ、あるいは債券だけというように1つの資産だけではなく、株式と債券、株式と債券とREIT（不動産投資信託）など、複数の資産を組み合わせて運用する投信のことをいいます（図表2－6）。

バランス型といっても、いくつかのタイプがあります（図表2－7）。

・固定配分型

「固定配分型」は、決められた資産配分割合をずっと維持していくタイプです。代表的なのは、例えば、株式に投資する部分を資産全体の30％、50％、70％などと決めた3〜4本のシリーズが

図表2-6 ｜ バランス型投信を利用する

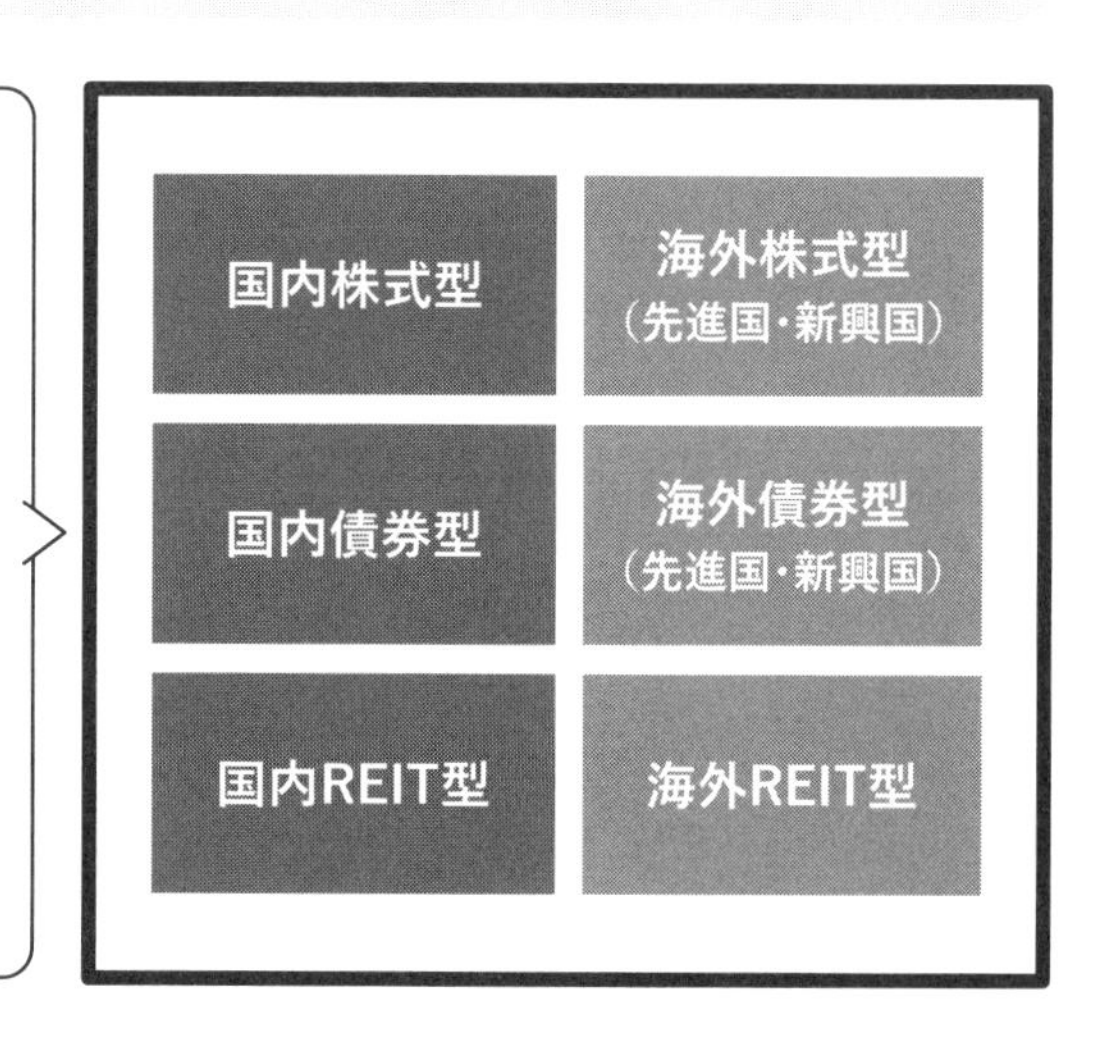

セットで商品化されているものです（安定型、標準型、積極型や、債券シフト型、株式シフト型など商品によって名称はまちまちです）。リスクが高くてもリターンを高めたければ、株式の比率が高いものを選ぶと、基本的なポートフォリオを1本でつくることができます。洋服でいえば、細かくサイズを測るオーダーメイドではなく、S、M、Lといった3つくらいのサイズから自分の体形にもっとも近いものを選ぶという感じです。

ただし、同じ株式70％のものでも、国内資産と海外資産の比率や、新興国株を含むか否かなどは商品によって異なるため、中身はしっかり確認しましょう。

もう1つは「均等配分」のものです。こち

図表2-7 ｜ バランス型にはいろいろなタイプがある

固定配分型	示された資産配分が ずっと固定されているタイプ

配分の異なるシリーズ

例えば、株式比率が70%、50%、30%というように、いくつかの投信をそろえている

均等型

4資産均等、6資産均等、8資産均等など

リスクコントロール型	リスク（変動幅）を一定に抑えるために、市場動向に応じて投資資産の組入比率を機動的に変更
ターゲットイヤー型	将来のある時点をめざして買う株式などの比率を一定のルールに沿って「自動的に」引き下げていくタイプ。「2040年」など、投信の名前に年が記載されているものが多い

らは投資する資産に均等（同じ割合）で投資をするタイプです。例えば、４資産（日本株・債券、先進国株・債券に４分の１ずつ）に投資するものをはじめ、６資産（日本株・債券、先進国株・債券、国内ＲＥＩＴ・海外ＲＥＩＴに６分の１ずつ）、８資産（日本株・債券、先進国株・債券、新興国株・債券、国内ＲＥＩＴ・海外ＲＥＩＴに８分の１ずつ）などがあります。

図表２－８はいろんな資産と、４資産の組み合わせ、６資産の組み合わせ、８資産の組み合わせについて、それぞれのリスクとリターンを図表で示したものです。タテ軸はリターン、ヨコ軸はリスクを示しています。図の右側に行くほどリスクが高くなり（ブレ幅が大きくなり）、上に行くほどリターンが高くなります。

この図表をみると、４資産よりも６資産の組み合わせのほうが、６資産よりも８資産の組み合わせのほうが、リスク・リターンともに高くなっていくのがわかります。

・リスクコントロール型

配分を固定せず、例えば、リスクを一定に抑えるために、市場動向に応じて投資資産の組入比率を機動的に変更する「リスクコントロール型」もあります。

リスクコントロール型の場合、「基準価額の目標変動リスク値が年率５％程度以下となること

8資産分散のリスク・リターン

計測期間：2002年1月～2022年12月

新興国株式

外国REIT

外国株式

25.0　30.0（年率%）

※運用コストとして2022年12月末時点のイボットソン・アソシエイツ・ジャパンの分類に基づく各資産の平均信託報酬率（日本籍公募投信の信託報酬の純資産総額加重平均値）を、全期間に対して控除しています。運用コスト（年率）：国内株式：0.9%、外国株式：0.5%、新興国株式：1.2%、国内債券：0.6%、外国債券：1.0%、新興国債券：1.4%、国内REIT：1.0%、外国REIT：1.4%

※税金、及びリバランスに係る費用等の取引コストは考慮していません。利息・配当等は再投資したものとして計算しています。

※過去のパフォーマンスは将来のリターンを保証するものではありません。

- 4資産分散：国内株式、外国株式、国内債券、外国債券を均等保有したポートフォリオ、毎月末リバランス
- 6資産分散：国内株式、外国株式、新興国株式、国内債券、外国債券、新興国債券を均等保有したポートフォリオ、毎月末リバランス
- 8資産分散：国内株式、外国株式、新興国株式、国内債券、外国債券、新興国債券、国内REIT、外国REITを均等保有したポートフォリオ、毎月末リバランス
- 運用コスト：Morningstar Direct

図表2-8 ｜ 主要資産クラスと4資産分散、6資産分散、

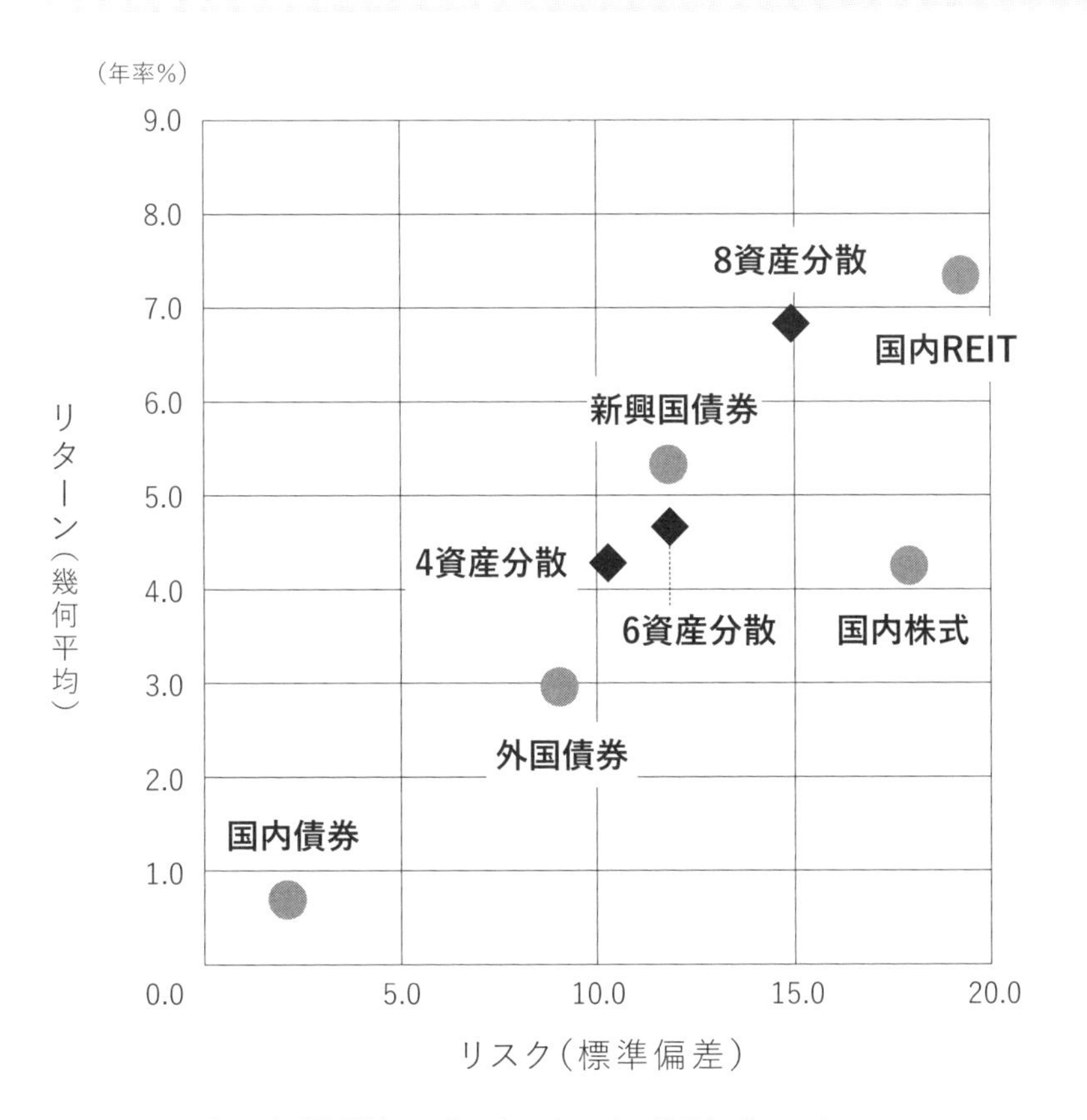

（出所）

国内株式：Morningstar国内株式指数、先進国株式(除く日本)：Morningstar先進国株式指数(除く日本)、新興国株式：Morningstar新興国株式指数、国内債券：Morningstar国内債券指数、先進国債券(除く日本)：Morningstarグローバル国債指数(除く日本)、新興国債券：Morningstar新興国ソブリン債指数、国内REIT：2003年3月以前はSMTRI J-REIT指数、2003年4月以降2005年6月以前は東証REIT、2005年7月以降はMorningstar国内REIT指数、外国REIT(除く日本)：2005年6月以前はS&P先進国REIT（除く日本）、2005年7月以降はMorningstarグローバルREIT指数(除く日本)、リターンは全て利子・配当込みグロス・リターン。外貨建て指数は、為替ヘッジなし、円換算。

をめざす」など、具体的な数値が記載されていることが多くなっています。リスク限定、つまり下値が限定される代わりに、値上がりも抑えられること、保有中にかかる運用管理費用（信託報酬）が高めであることは押さえておきたいところです。

・ターゲットイヤー型

将来のある時点をめざして買う株式などの比率を一定のルールに沿って「自動的に」引き下げていく商品です。例えば、退職する年のように、あらかじめ目標とする年（ターゲットイヤー）を決めて運用を行います。「2035」「2040」など、ターゲットとなる年を記載した商品が多くあります（何年代生まれの人向けといった記載のものもあります）。時間の経過とともに、株式中心の積極的な運用から債券中心の保守的な運用へ、少しずつ資産配分を変えて運用を行います。自分で資産配分を変更する手間が省けるのがメリットですが、運用面では固定配分のバランス型を持つのとさほど変わらないという分析もあります。

わかりやすさを求めるなら、運用管理費用（信託報酬）の低い、固定配分のバランス型を選択するのが無難です。バランス型は仮に同じ6資産に分散するものでも、中身（株式と債券だけか、REITも含まれるか）や配分（国内資産と海外資産の比率や各資産の比率など）が商品によって異なります。必ず確認しましょう。特にリスク（＝どの程度変動するのか）[*4]については必ず数値を確認しましょう。そういう意味では、バランス型に関しても、インデックスファンドと同様、過去の運用実績があるものの中から選びたいところです。

＊4　過去にどのくらい価格が変動したかを数値（リスク・標準偏差）でチェックしておきましょう。数値の2倍は上下に価格が変動するというふうにイメージしてください。

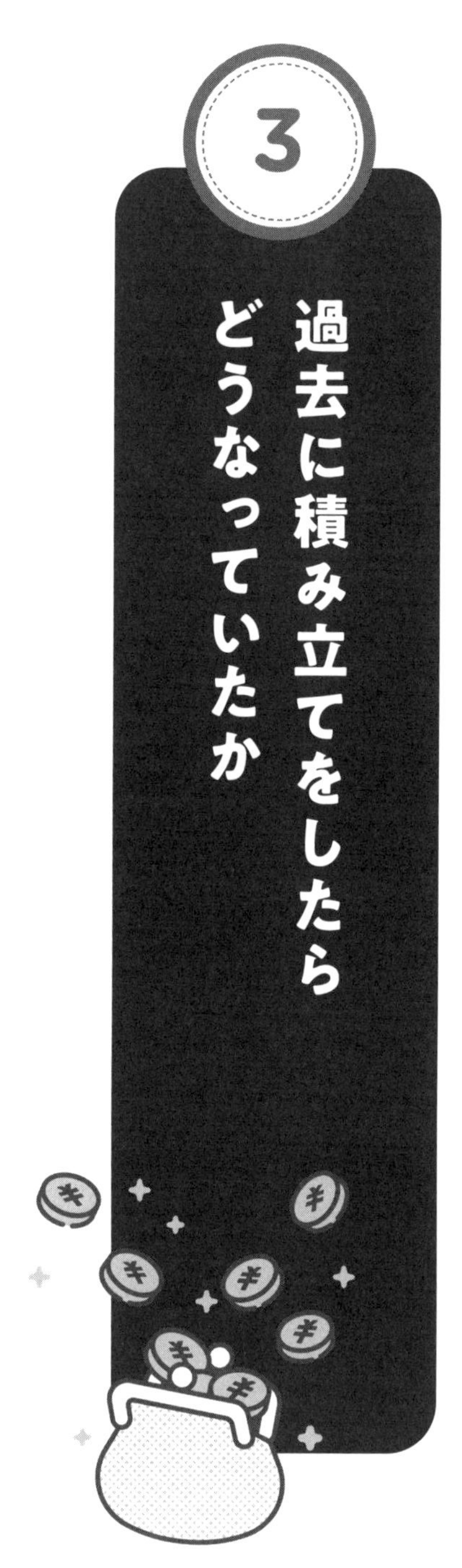

3 過去に積み立てをしたらどうなっていたか

では、過去に世界の株式に積み立てをしていたら、どうなっていたのでしょうか。いろいろな期間の積立結果をみてみましょう。

◆世界株をいろいろな時期で積み立てた場合

・世界株を10年積み立てたら

まず、図表2-9をご覧ください。これは世界株[*5]に10年積み立てを行ったときのデータです。10年の区切りをいろいろ変えて検証しています。毎月1万円ずつ積み立てると、投資元本は10年で120万円になります。

ヨコ軸は積立投資を行った期間で、例えば、「1969年12月末から1979年12月末まで」「1971年12月末から1981年12月末まで」というふうに表示しています。1年ずつずらしていって、いちばん右側の棒グラフは、「2012年12月末から2022年12月末まで」の10年間、世界株に積立投資をしたときの結果（評価額）を示しています。

世界の株式に毎月1万円ずつ10年間積立投資をすると、積立総額は120万円になります。それが、平均すると174万円にふえています。いちばん積み立てたお金が減ったのは1998年末から金融危機の起きた2008年末までの10年間で、120万円が79万円に。いちばん積み立てたお金がふえたのは2011年末から2021年末までの10年間で、120万円が248万円になるという結果でした。

いろいろな時期に10年間世界株に積み立てた結果をみると、その多くの時期で資産はふえていますが、2008年末までの10年間に加えて、2009年末、2010年末、2011年末までの10年間も積立元本を下回る結果となりました。株式100%で積み立てた場合、10年間では、そのときの株式市場の動向によっては投資元本を下回るということもそれなりにある、ということです。

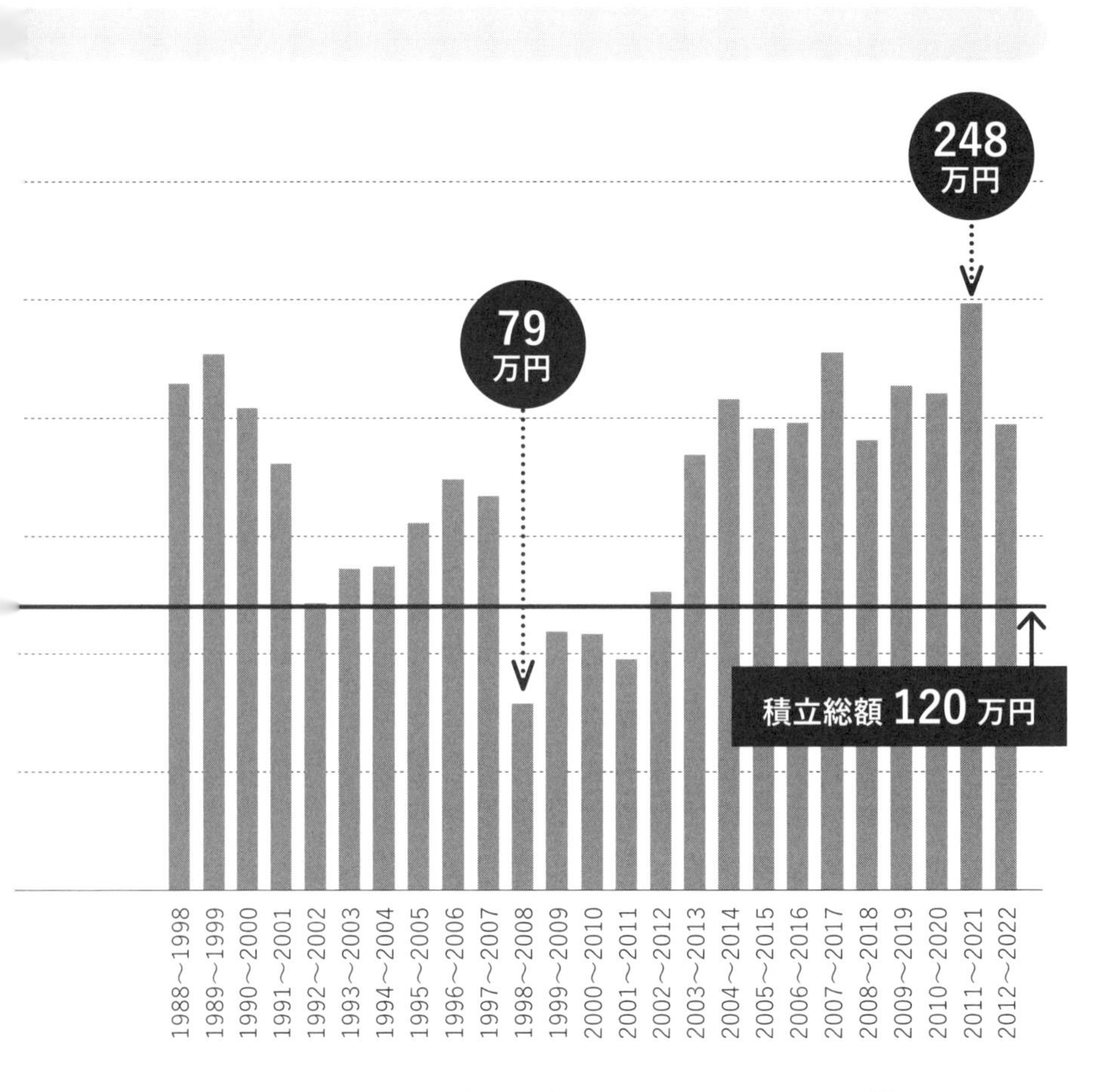

※各月末に1万円を世界株式に積立投資した場合の、10年間の運用成果を示しています。
※運用コストとして2021年10月末時点のイボットソン・アソシエイツ・ジャパンの分類に基づく各資産の平均信託報酬率（日本籍公募投信の信託報酬の純資産総額加重平均値）を、全期間に対して控除しています。運用コスト（年率）：世界株式：1.7%
※税金、取引コストは考慮していません。利息・配当等は再投資したものとして計算しています。
※過去のパフォーマンスは将来のリターンを保証するものではありません。
（出所）世界株式：MSCIワールド（グロス、円ベース）

図表2-9 ｜ 世界株で10年間毎月1万円積立投資した場合

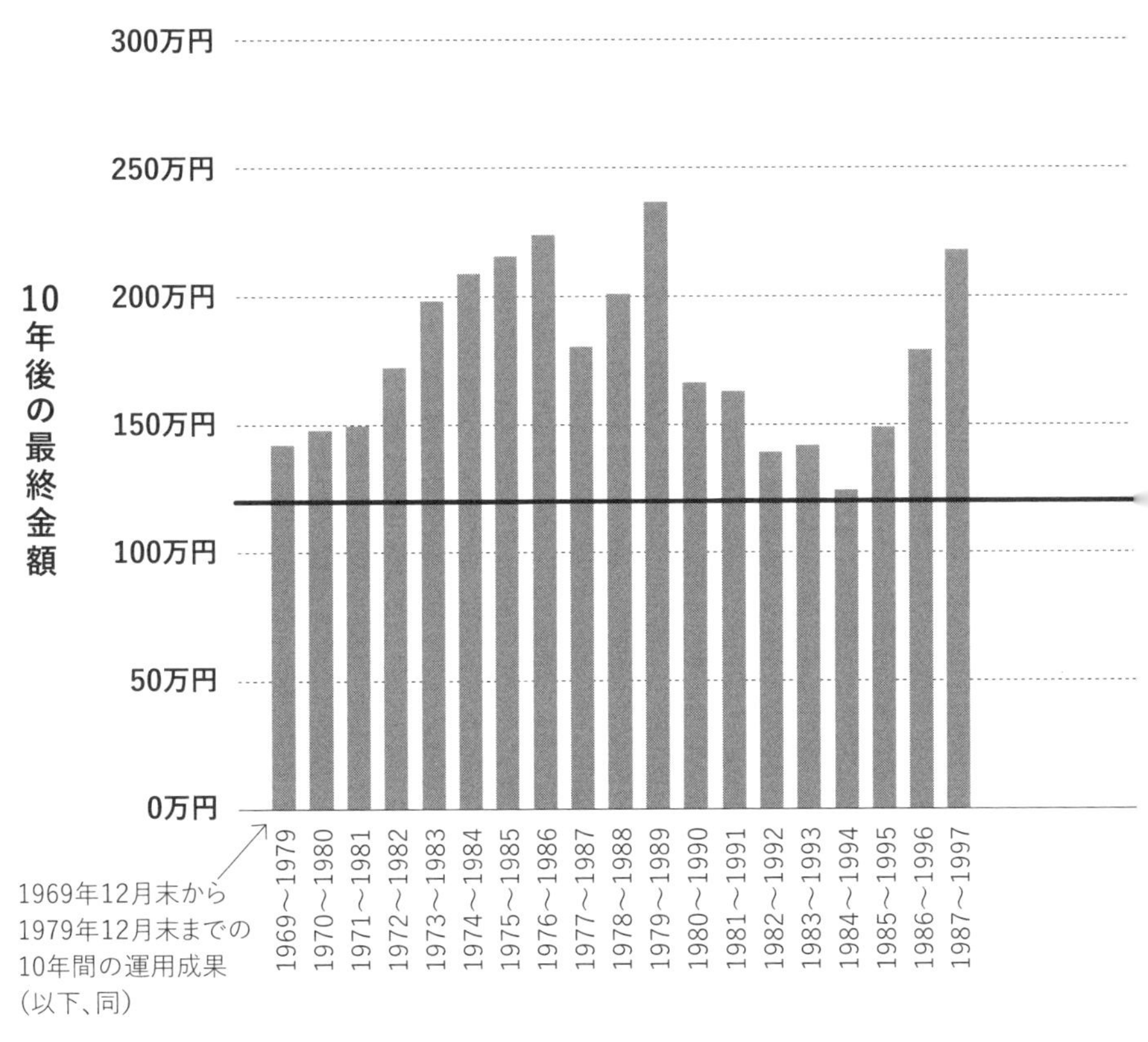

［平均］
174万円

［最大］
248万円

［最小］
79万円

・世界株を20年積み立てたら

それでは、期間をもう少し長くして、20年間、同じように、世界株を積み立てたとしたら、結果はどうなっていたでしょうか。図表2－10をご覧ください。

毎月1万円ずつ積み立てると、積立総額は20年間で240万円になります。それが平均すると470万円にふえているという結果になりました（年3・4％程度で運用できたことになります）。いちばんふえたのは1977年末から1997年末までの20年間で、240万円が686万円になりました。もっとも少ない金額だったのは1988年末から2008年末までの20年間で、222万円です。積立総額が240万円ですから、積み立ててきたお金が減るという結果になりました。1991年から2011年までの20年間の積立投資も同様です。

ほとんどの期間で資産はふえていますが、分散して、20年間という時間をかけて積立投資をしてもマイナスになることもあるのがわかります。経済規模の拡大や情報伝達のスピードが速くなったことなどもあってか、以前に比べ価格の変動が大きくなり、暴落が訪れる頻度が高くなっているようです。

図表2－10の結果は全世界株の指数から運用コストを差し引いたものですが、仮に運用コスト

がゼロだったとしても元本割れの確率は7％程度あります。例えば、お金を引き出して使っていきたい時期が近づいてきたら、運用資産がふえているときにその一部を預金や個人向け国債などに振り替えていくことを検討してもよいかもしれません。

ただ、「投資期間が長期になるほど、元本割れをする確率も、平均損失率も減少するため、20年間を見据えて長期で運用するのであれば、資産をふやす（もしくは維持する）ためには株式などリスクをある程度高めにした運用を行うことが大切」とイボットソン・アソシエイツ・ジャパンCIOの小松原宰明さんは言います。そうしたことを踏まえた上で、長期の運用を心がけましょう。

＊5 世界株はMSCIワールド（グロス・円ベース）＝日本を含む先進国株の指数を使用。MSCI ACWIは長期間のデータが取れないため、代用しました。

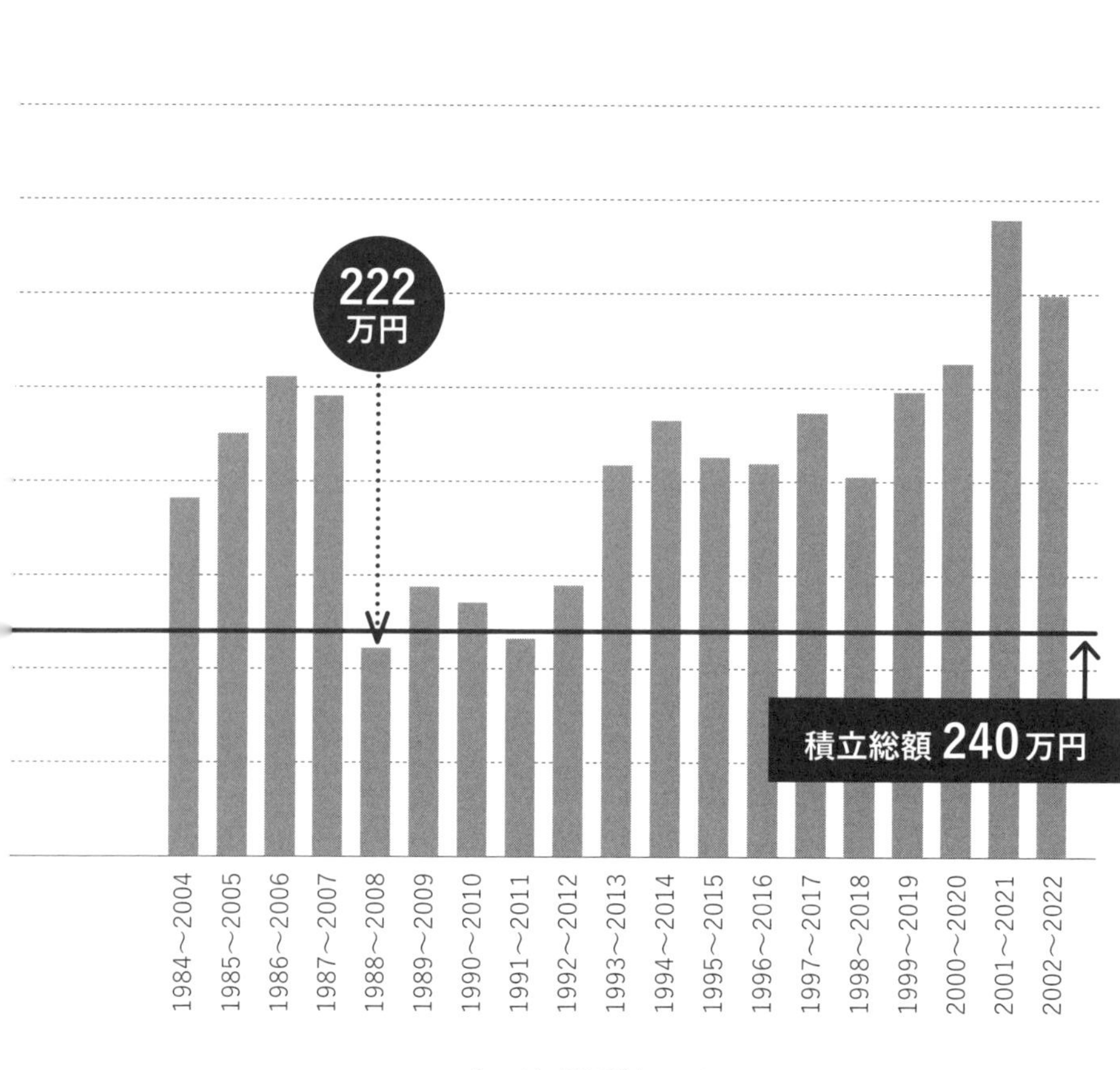

※各月末に1万円を世界株式に積立投資した場合の、20年間の運用成果を示しています。
※運用コストとして2021年12月末時点のイボットソン・アソシエイツ・ジャパンの分類に基づく各資産の平均信託報酬率（日本籍公募投信の信託報酬の純資産総額加重平均値）を、全期間に対して控除しています。運用コスト（年率）：世界株式：1.7%
※税金、取引コストは考慮していません。利息・配当等は再投資したものとして計算しています。
※過去のパフォーマンスは将来のリターンを保証するものではありません。
（出所）世界株式：MSCIワールド（グロス、円ベース）

図表2-10｜世界株で20年間毎月1万円積立投資した場合

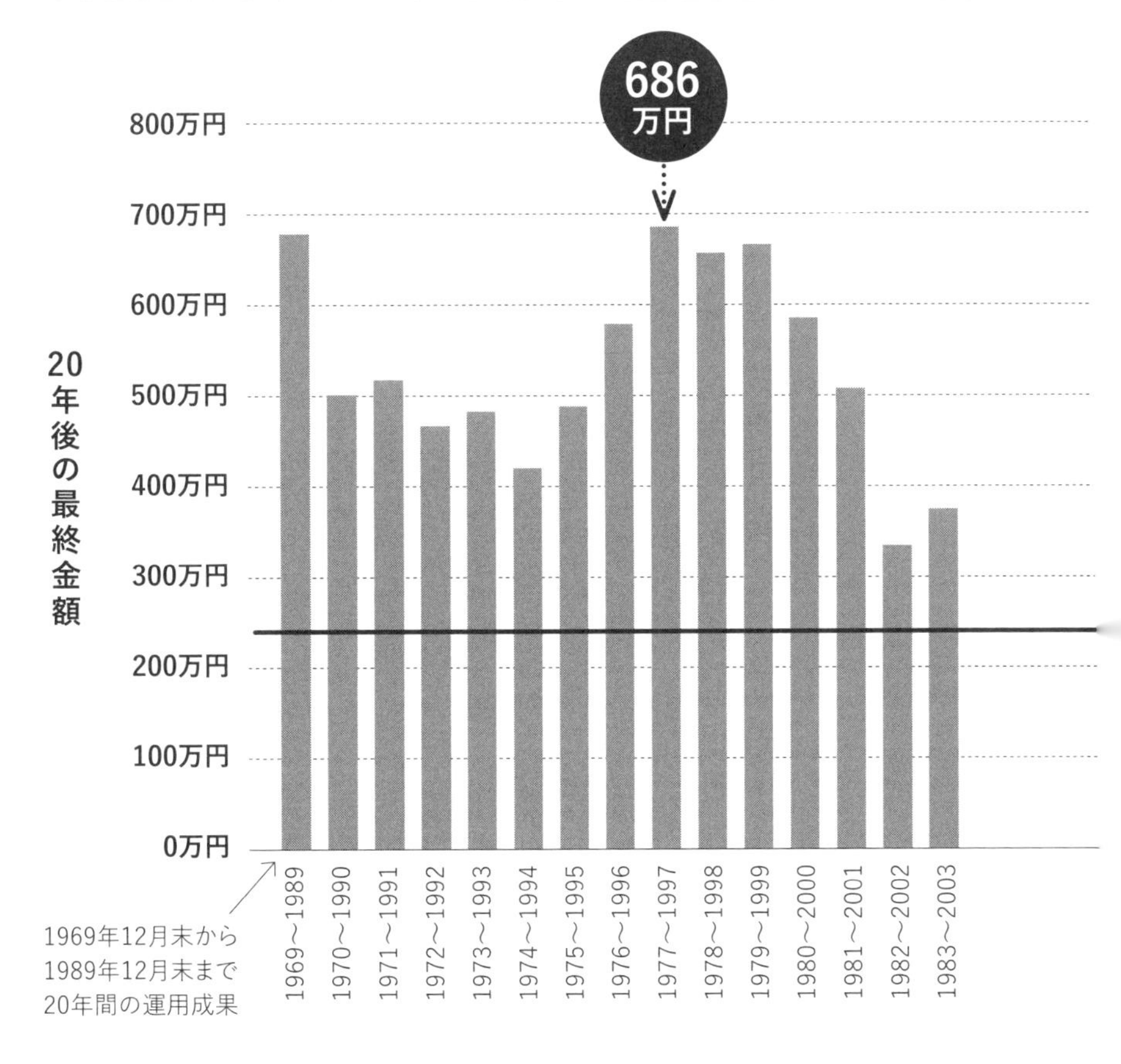

［平均］
470万円

［最大］
686万円

［最小］
222万円

◆4資産に分散していろいろな時期で積み立てた場合

株式だけではなく、債券をあわせて持つとどうなるでしょうか。こちらは日本株式・債券、外国株式・債券の4つの資産に均等に分散して積み立てたケースでみてみます。

図表2－11は、1985年から2020年の各年に、4つの資産を均等に毎月一定額ずつ積み立てたときの運用成果と出現頻度を示したものです。積立期間が5年（上）だと、日本株式・債券、外国株式・債券の4つの資産に均等に分散しても運用成果にはかなりのバラつきがあり、元本割れになることも。一方、積立期間が20年（下）になると、運用成果が2％から8％の間に収斂していくことがわかります。

このように、地域や資産の分散に加えて、時間を味方につけることで、結果的に元本割れする可能性を低く抑えることができます[*6]。途中で投信を解約したり、積立投資をやめたりしてしまうと、こうした効果は弱くなります。投信の価格（基準価額）が上がったり下がったりしても、そうした動きに一喜一憂することなく、続けることが大切です。

＊6　図表2－11は指数をもとに運用成果等を算出。図表2－9、2－10のように運用コストが差し引かれていない点に留意。

図表2-11 ｜ 4資産分散していろいろな時期に積み立てた場合

●保有期間 5年

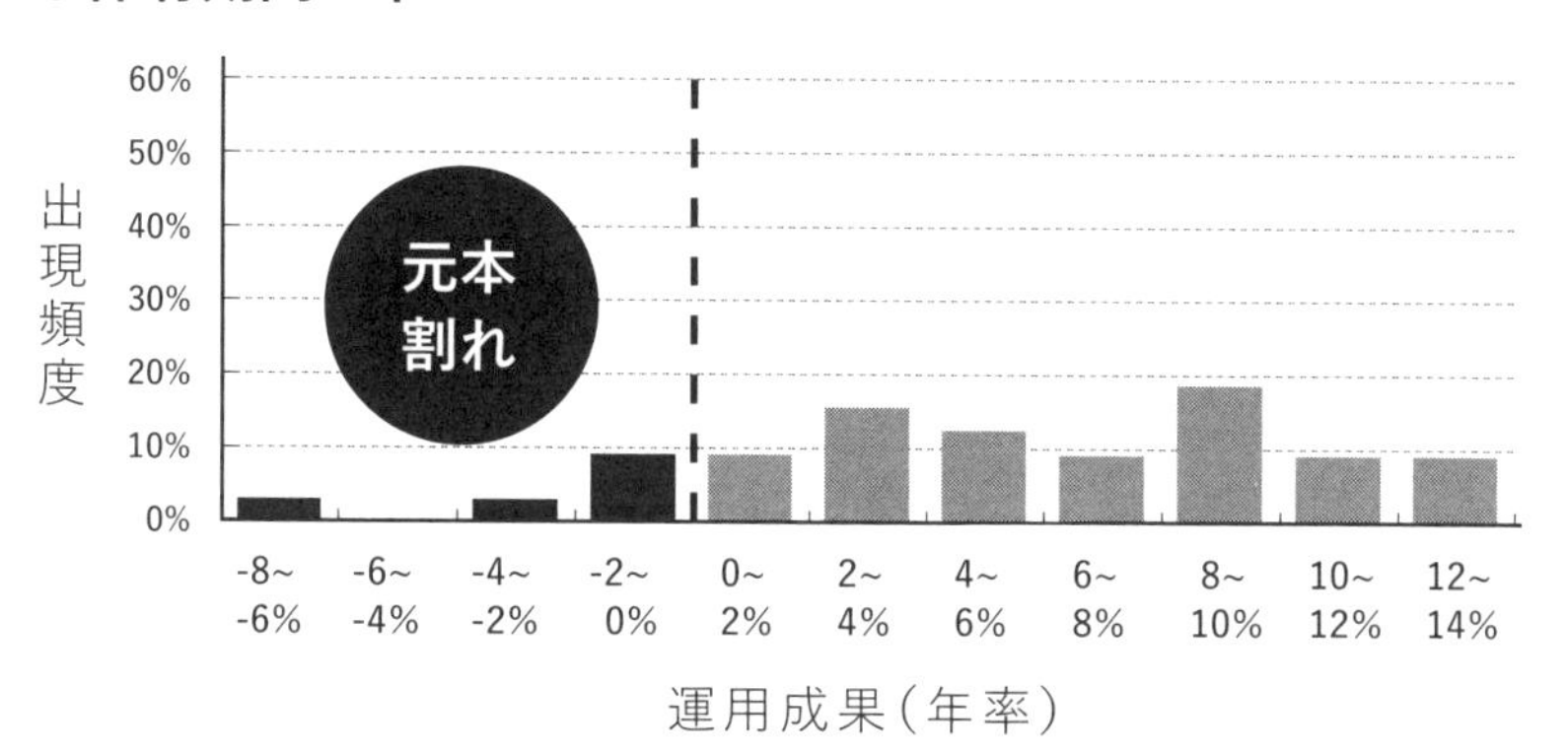

●保有期間 20年

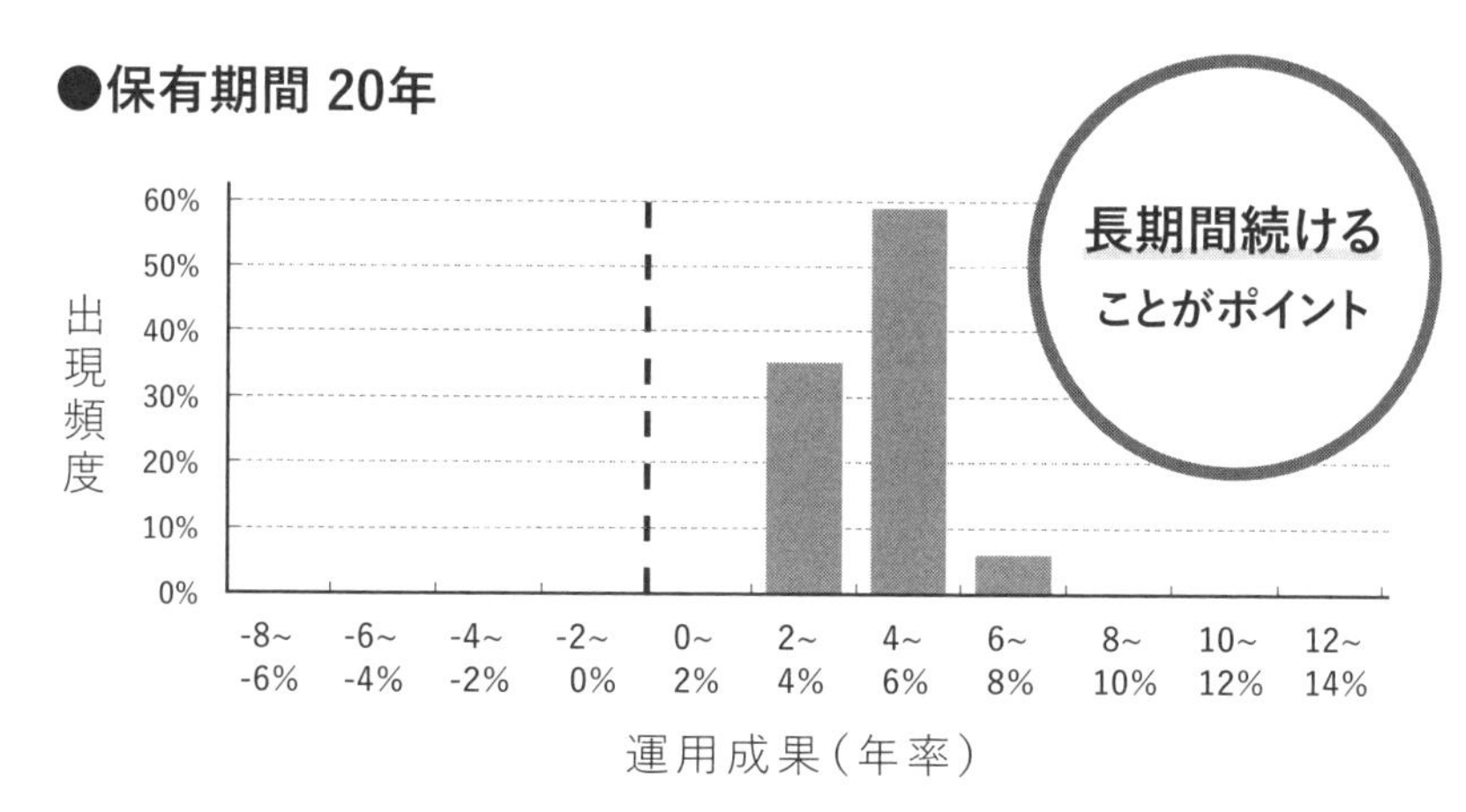

（注）1985年から2020年の各年に、毎月同額ずつ国内外の株式・債券に買い付けを行ったものです。各年の買い付け後、保有期間が経過した時点での時価をもとに運用結果及び年率を算出しています。

（注）これらは過去の実績をもとにした算出結果であり、将来の投資成果を予測・保証するものではありません。運用管理費用は含みません。日本株式：東証株価指数（配当込み）、先進国株式：MSCIコクサイ・インデックス（円換算ベース）、日本債券：NOMURA-BPI総合、先進国債券：FTSE世界国債インデックス（除く日本、円ベース）。

（出所）金融庁「つみたてNISA早わかりガイドブック」より筆者作成。「つみたてNISA早わかりガイドブック」は金融庁のウェブページから無料でダウンロードできます。

4 NISAの枠をどう使っていくか

◆毎月3万円で50年間、非課税枠を利用可能

先にも述べたとおり、早い時期から投資信託の積み立てを始める場合には、NISA口座のつみたて投資枠を優先的に活用しましょう。生涯投資枠は1800万円でつみたて投資枠の上限は年間120万円ですから、毎月積み立てる場合には月10万円まで積み立てることができます。

例えば、毎月3万円（年間36万円）ずつつみたて投資枠で投信の積み立てを行うと、50年にわたって非課税枠を利用することができます。30歳から毎月5万円ずつ60歳まで30年にわたって投信を積み立てて、1800万円の投資枠を埋めていくことも可能です（図表2－12）。毎月5万

図表2-12 ｜ つみたて投資枠で長期積立投資

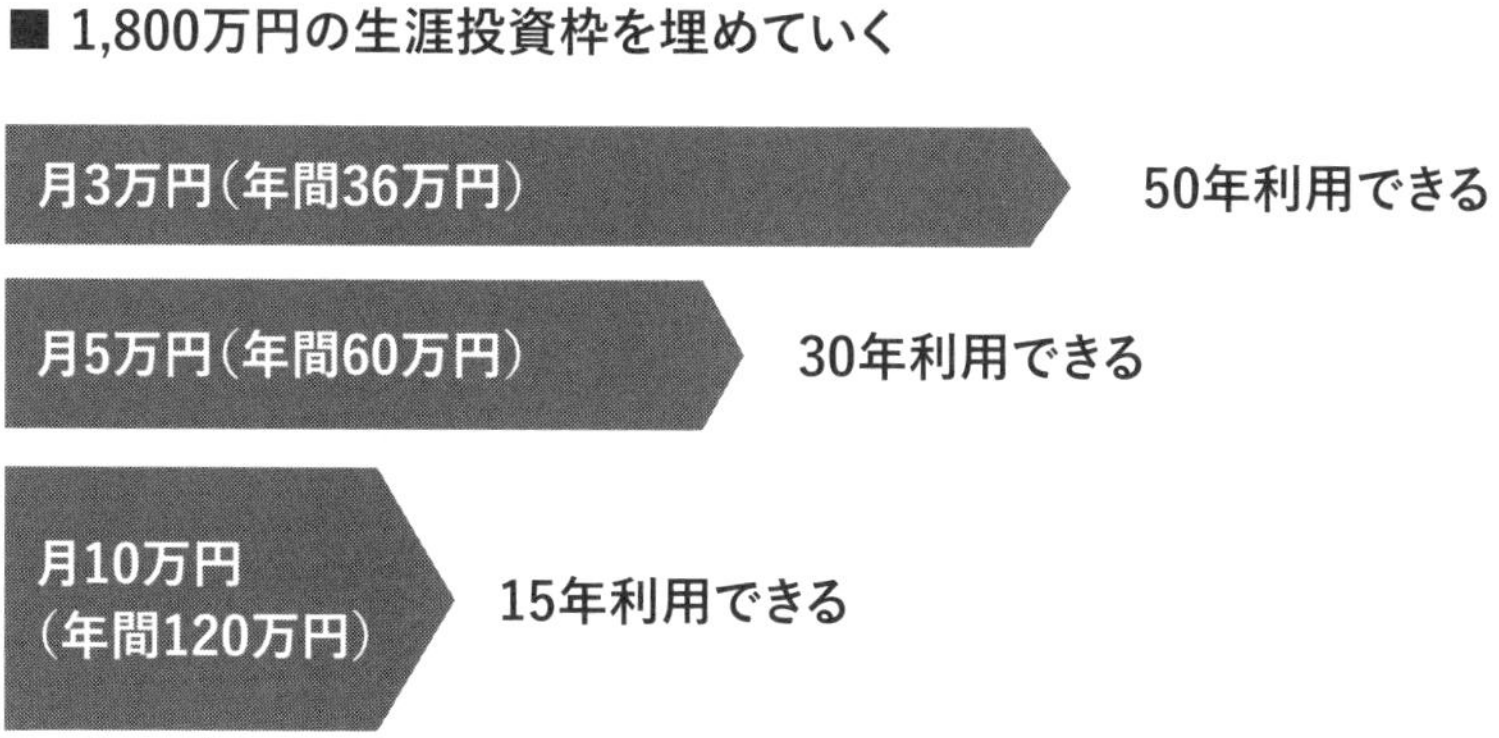

■ 1,800万円の生涯投資枠を埋めていく

月3万円（年間36万円）	50年利用できる
月5万円（年間60万円）	30年利用できる
月10万円（年間120万円）	15年利用できる

円を30年積み立てると、投資元本は1800万円ですが、仮に3％で運用できると2900万円程度にふやすことができます。4％で運用できると3400万円以上になる計算です。

もちろん短期的には価格が変動するので、このとおりになるわけではありませんが、現役世代はつみたて投資枠を使い、細く・長く利用することで、運用資金を育てていくことができるのではないでしょうか。

最初は無理せず、毎月5000円や1万円、2万円といった金額から積立投資をスタートし、徐々に金額をふやしていくこともできます。経済的に苦しいときには積立額を減らしたり、お休みしたり、逆に余裕があるときにはふやしたり、必要なときに一部を解約し現金化して引き出すこともできます。積み立てる商品を変更することも可能です。無理のない範囲で続けていくことが大切です。

積み立てる商品については、本章第2節で紹介した、低コストの株式インデックスファンドを中心に。代表的なのは三菱ＵＦＪ国際投信が設定・運用する「ｅＭＡＸＩＳ Ｓｌｉｍ」シリーズや、ＳＢＩアセットマネジメントが設定・運用する「ＳＢＩ・Ｖ」シリーズなどです。

◆成長投資枠でキャッチアップを有効に活用

すでにまとまった預貯金がある人であれば、つみたて投資枠と成長投資枠の両方を使うこともできます。

新しいＮＩＳＡは制度が恒久化され、２０２４年以降は生涯投資枠が取得した価格（簿価）で管理されるため、１８００万円の範囲内ならいつから非課税枠を使ってもＯＫです。なるべく若い時期から投信の積み立てなどを活用して長期投資を行うのが理想ですが、資金的に余裕のない時期には制度は利用せずに、中高年になってからまとめて投資する、ということも新しいＮＩＳＡでは可能です。

例えば、50歳の人で、「これまであまり投資してこなかったけれど、リタイアする65歳までにがんばって老後資金を準備したい」というようなときは、つみたて投資枠（年間120万円）と並行して成長投資枠（年間240万円）を活用することで、資産形成の遅れを取り戻すことができます。

一例を示すと、預貯金のうち、投資に回せるお金が720万円あったとします。お給料の一部で毎月10万円ずつ投信の積み立てを行い、今あるお金は3年かけて毎年240万円ずつ投資に回していくことで、このケースでは9年で生涯投資枠を埋めることができます（図表2-13）。

もう少し余裕があり、投資に回せる金額が1200万円あるようなケースでは、毎月10万円の積立投資と並行して、毎年240万円ずつ投資に回すと5年で生涯投資枠を埋めることも可能です。生涯投資枠が埋まった後は長期で運用を続けましょう。

つみたて投資枠では積み立てが原則ですが、年2回以上の買い付けであれば積み立てとみなされます（金融機関により積み立ての設定回数は異なるので、確認しましょう）。成長投資枠での投資は、一括でも、積み立てでもOKです。

なお、つみたて投資枠と成長投資枠で必ずしも異なる商品を購入する必要はありません。つみたて投資枠で買える商品（つみたてNISA対象商品）は、成長投資枠でも購入することができます。つみたてNISA対象商品は、厳しい条件をクリアした商品に限定されています。多くの人にとっては、両方の枠で同じ投信を買っていくのがシンプルかつ続けやすい方法ではないでしょうか。

◆個別株や海外ETFを買いたい人は成長投資枠で

個別株やREIT、海外ETFといった商品は、つみたて投資枠では購入できません。成長投資枠で購入していくことになります。

2023年まで利用できる一般NISA口座では個別株投資をしている方も多く、2014年

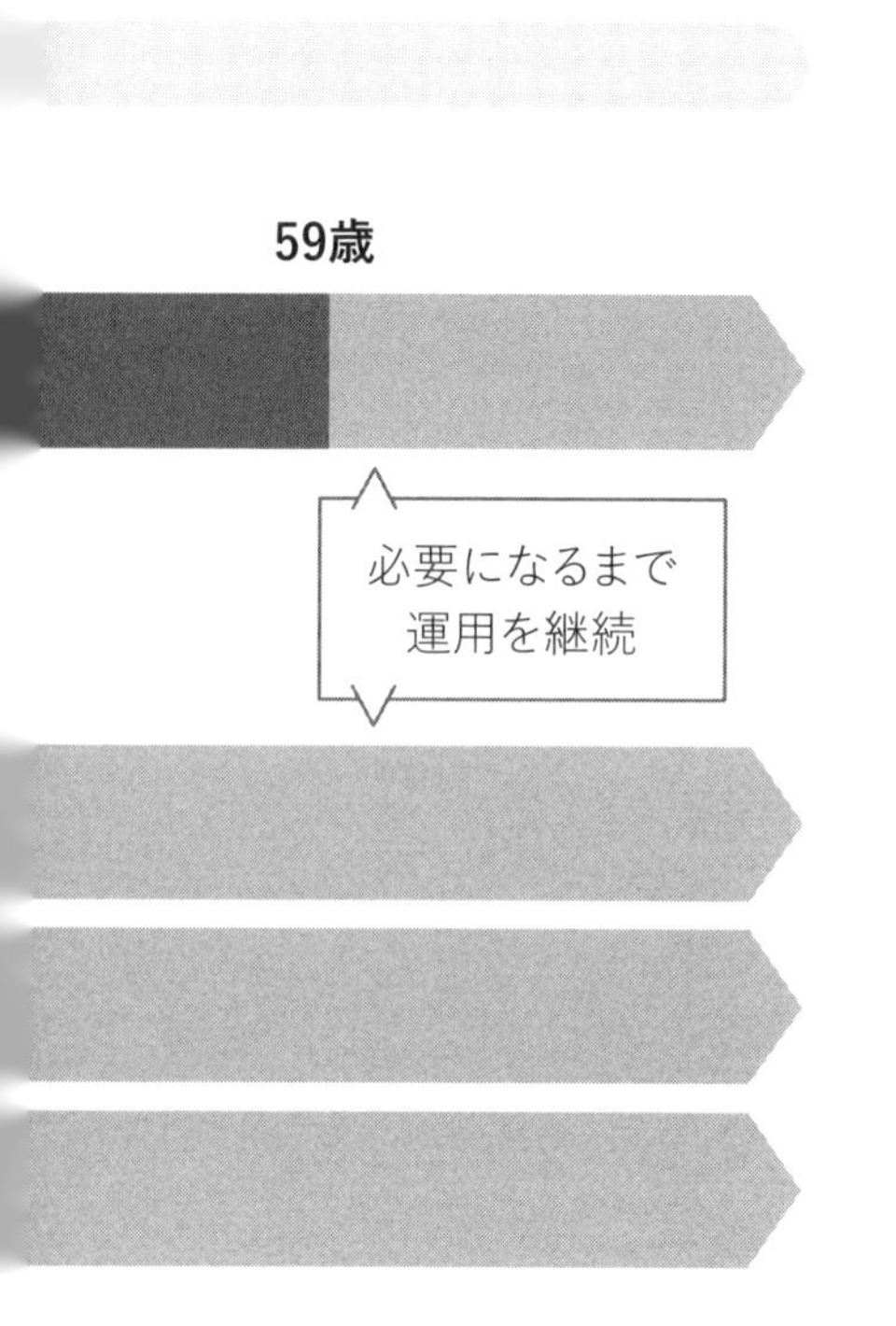

図表2-13 | 成長投資枠でキャッチアップ投資

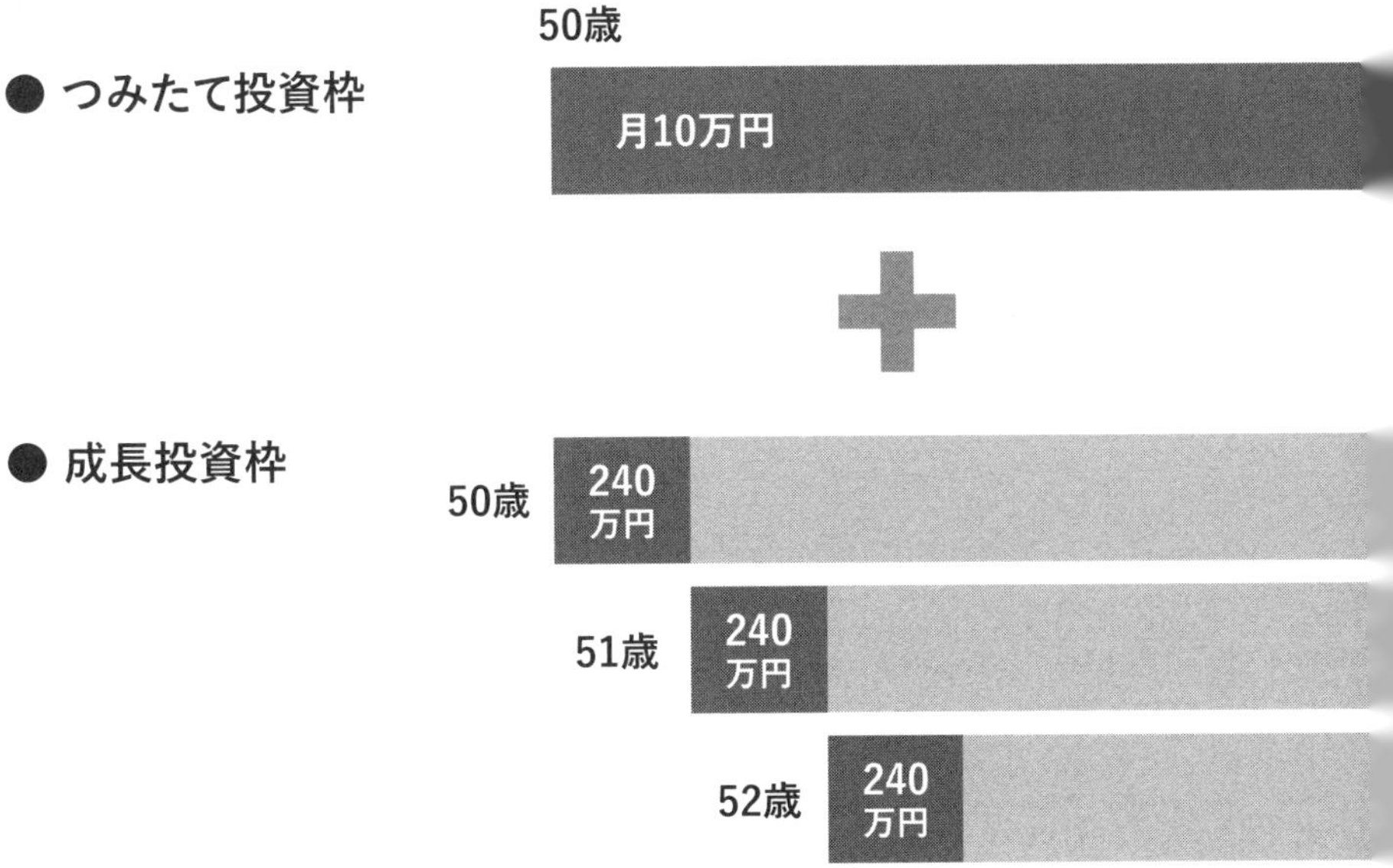

つみたて投資枠では毎月のお給料から10万円を積み立て投資、あわせて成長投資枠では今ある預貯金のうち720万円を投資にあてることにし、240万円ずつ3年に分けて投資。生涯投資枠が埋まったら、あとは必要になるまで運用を継続

のＮＩＳＡ制度開始からの商品別買付の総額（２０２２年９月末時点）のうち約42％を上場株式が占めています。ベテラン投資家さんで新しいＮＩＳＡでも個別株投資をしたい人は、つみたて投資枠で投信を積み立て、成長投資枠で個別株を買うということになります。一般ＮＩＳＡの年間投資枠の上限は１２０万円でしたが、成長投資枠の上限額は２４０万円となるため、投資できる企業もふえます。

今回の改正では、第１章２節で説明したとおり、保有する金融資産の一部を解約しても非課税投資枠が復活することになりました（売却の際に空く枠は時価ではなく、取得価格＝簿価で計算されます）。ただし、枠が復活するのは翌年なので、短期売買には不向きです。デイトレードもできません。長期で企業価値が上がるような会社の株式をしっかり選んで長期で保有したいところです。最近は株式分割をする企業もふえていますが、日本株については通常１００株単位での取引となるため、会社の分散や時間の分散が難しいという課題もあります。

5 生涯投資枠が埋まったらどうするか

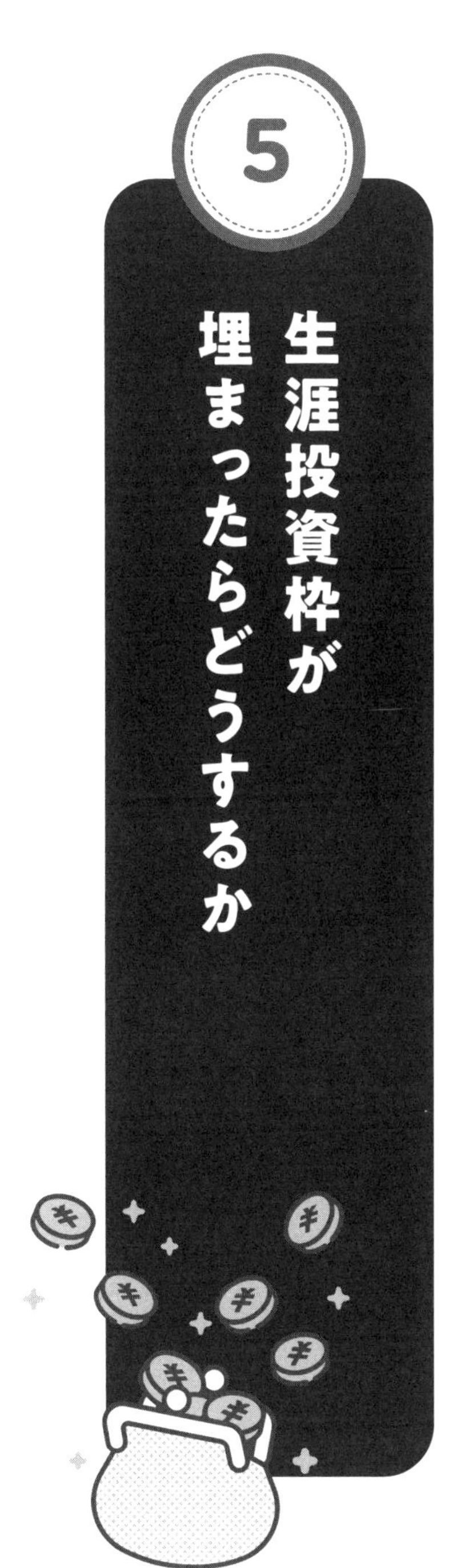

◆長期で運用を続けていく

現役世代の場合、生涯投資枠1800万円を使い切るまでは、

・リスク許容度や家計の余裕を考慮し、積立額を決める
・商品を決める
・あとは淡々と積み立てる

ことを考えましょう。その後は長期で運用を続けていくことになります。

少し上がったり下がったりしたときにすぐに解約してしまう人がいますが、投資信託の積み立ては長期で続けてこそ資産が大きく育つものです。特に、NISAは確定拠出年金（企業型DCやiDeCo）のように口座内での預け替え（スイッチング）もできません[*7]（第1章2節参照）。売却の回数はできるだけ減らして、じっくり運用資産を育てていきましょう。

＊7　年間投資枠が余っていれば、新規投資は可能。

・教育資金や住宅など必要なときには一部解約して使う

NISA口座では、ライフステージに応じて、積立額をふやしたり減らしたりすることができますし、投資している投信や株式を、いつでも一部または全部を解約してお金を引き出すことができます。

NISAはもともとかなり柔軟な設計になっていますが、2024年からは運用している金融商品を売っても、翌年に非課税枠が復活するというメリットが加わりました。そのため、お金が必要になったときには保有する投信や株式を一部売却する、あるいはすべて売ってさまざまな用途にあてることができます。

例えば、お子さんの教育費や住宅購入などでお金が必要になったときには一部を解約してその資金にあて、余裕ができたら再び投資に回すということもできます。図表2－14のように、お子さんが4歳のときからNISA口座でコツコツ積立投資を始め、19歳のときに教育資金として600万円を現金化して引き出し、また余裕ができたら、今度は自分の老後資金用に積立投資を再開する、といった使い方も可能です。

ただし、先に説明したように、非課税枠が復活するからといって、あまり頻繁に引き出してお金を使ってしまっては資産形成に支障をきたします。なんの目的もなく、「少し値上がりしたから」「値下がりしたから」とすぐに解約してしまうと長期的な資産形成はできません。基本はじっくり長期投資。資金が必要になったときには解約しましょう。

・老後資金用としては包括的に考えよう

NISAで運用してきた資産を老後資金の一部にあてようと考えている場合には、公的年金や退職給付（退職一時金や企業年金など）も含めて受け取り方を検討する必要があります。まずは60歳以降に受け取るお金を整理するところから始めましょう。

最近はWPPという考え方が出てきています（図表2－15）。「W」は「Work longer」、つまり元気なうちはできるだけ「長く働く」。1つ目の「P」は企業年金など私的年金を指す「Private Pensions」で、最後の「P」は公的年金を指す「Public Pensions」のことです。

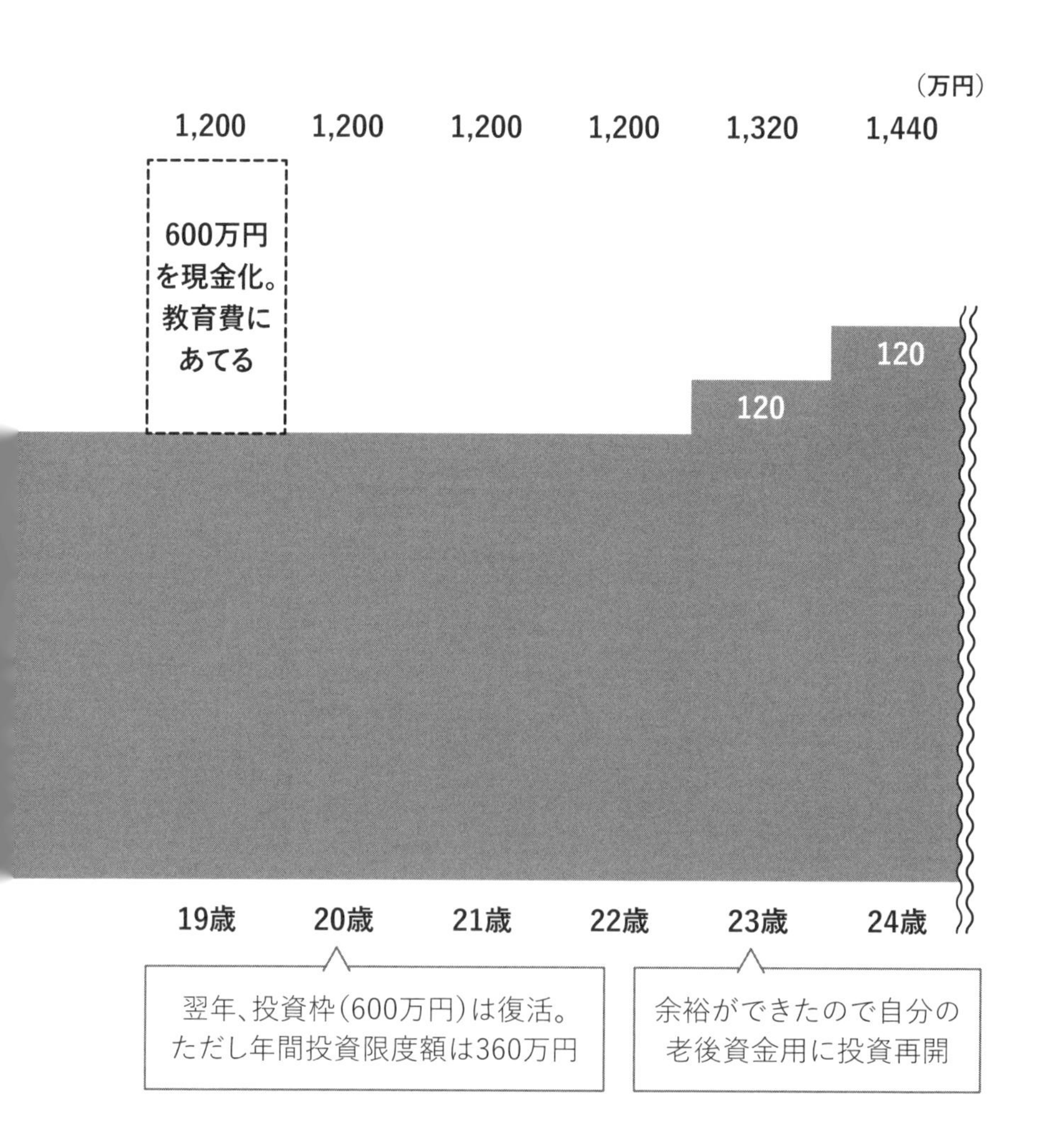

（万円）
1,200
1,200
1,200
1,200
1,320
1,440
600万円
を現金化。
教育費に
あてる
120
120
19歳
20歳
21歳
22歳
23歳
24歳
翌年、投資枠（600万円）は復活。
ただし年間投資限度額は360万円
余裕ができたので自分の
老後資金用に投資再開

図表2-14 | 資金の一部を引き出した後に積み立てを再開したケース

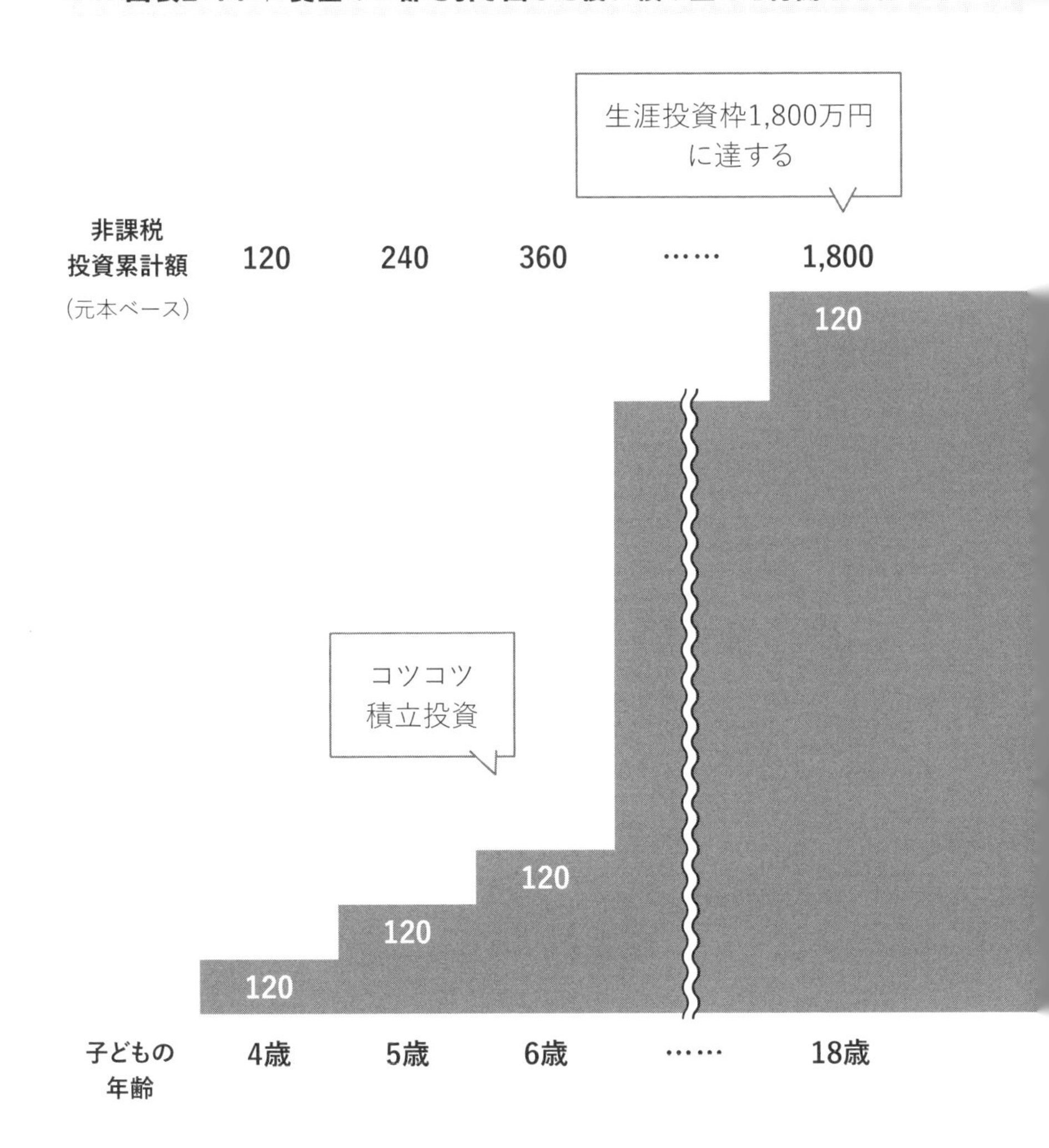

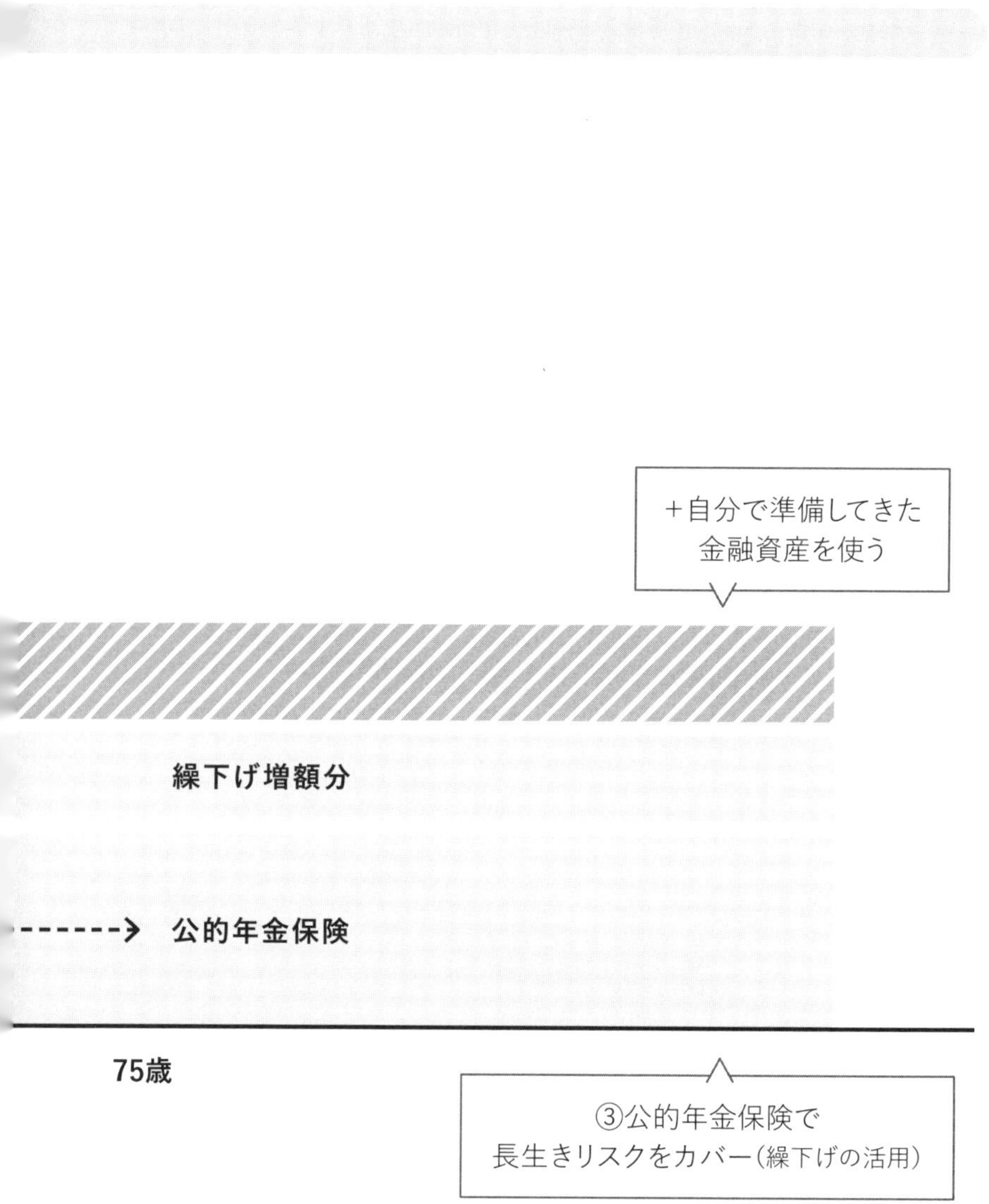

+自分で準備してきた
金融資産を使う

繰下げ増額分

公的年金保険

75歳

③公的年金保険で
長生きリスクをカバー（繰下げの活用）

図表2-15 ｜ WPPの考え方

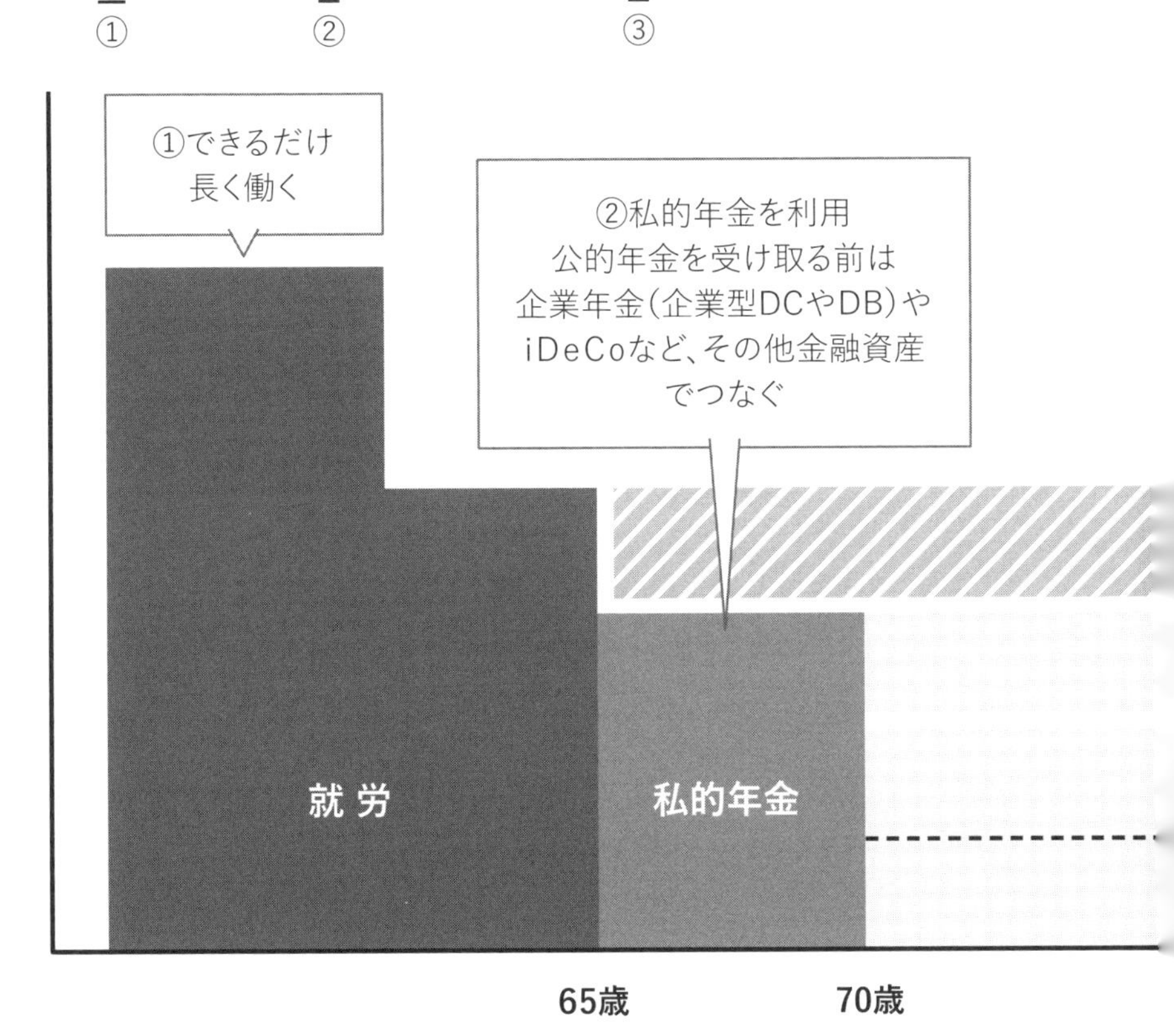

（出所）2018年日本年金学会総会「2019年財政検証に向けて」より著者作成

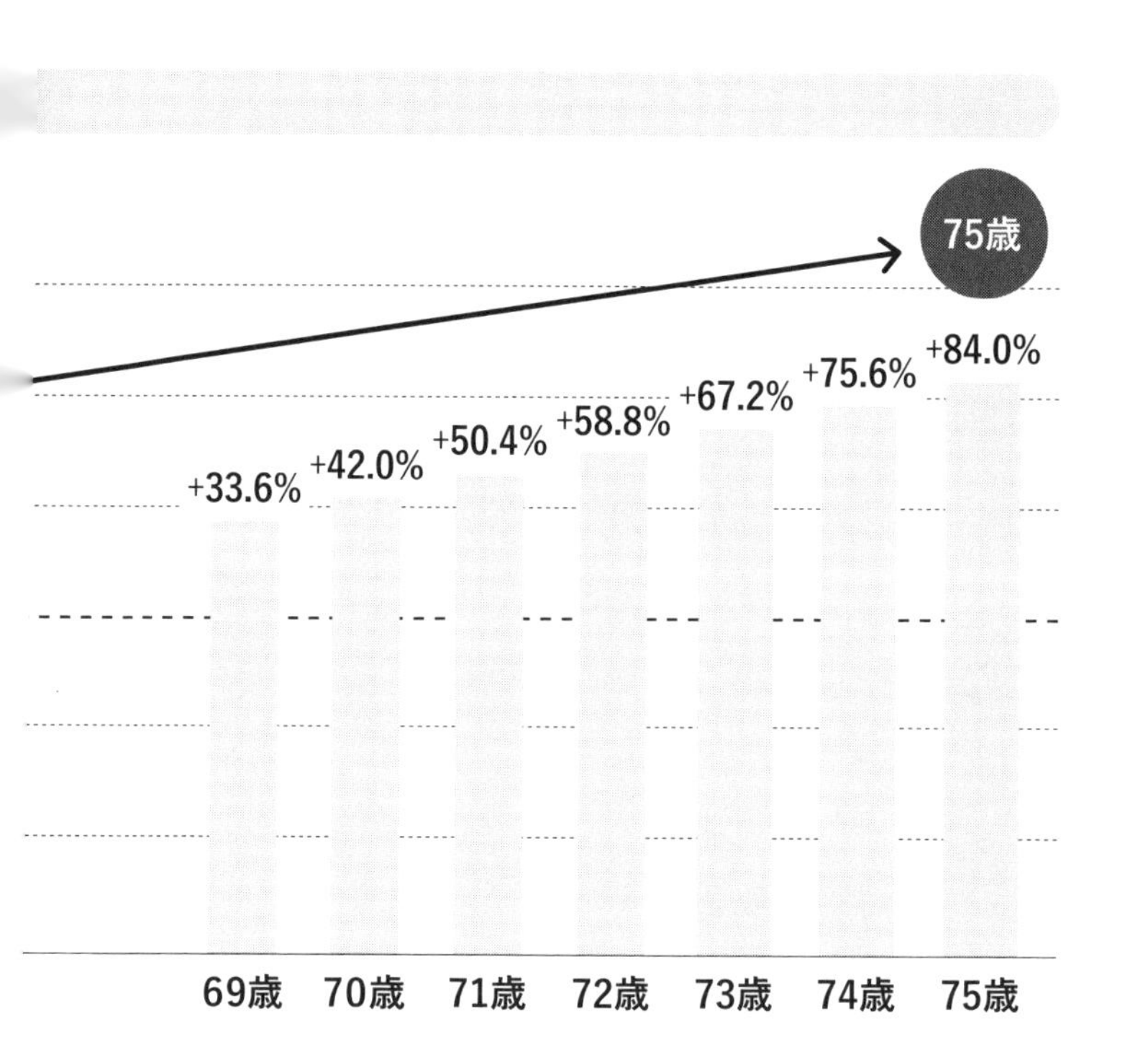

具体的には、一生涯受け取れる公的年金をふやして長生きリスクをカバーします。そもそも公的年金「保険」ですから、長生きしたときの保険と考えましょう。そのためには、繰下げ受給などを活用します。受給を1カ月遅らせるごとに年金額が0・7％ふえ、65歳からもらう年金を70歳まで遅らせれば年金額を42％ふやすことができます。2022年4月からは75歳まで遅らせることも可能になりました（図表2－16）。

ただ、公的年金を繰り下げるには、その間の生活費が必要です。そこ

図表2-16｜公的年金の繰上げ・繰下げ受給

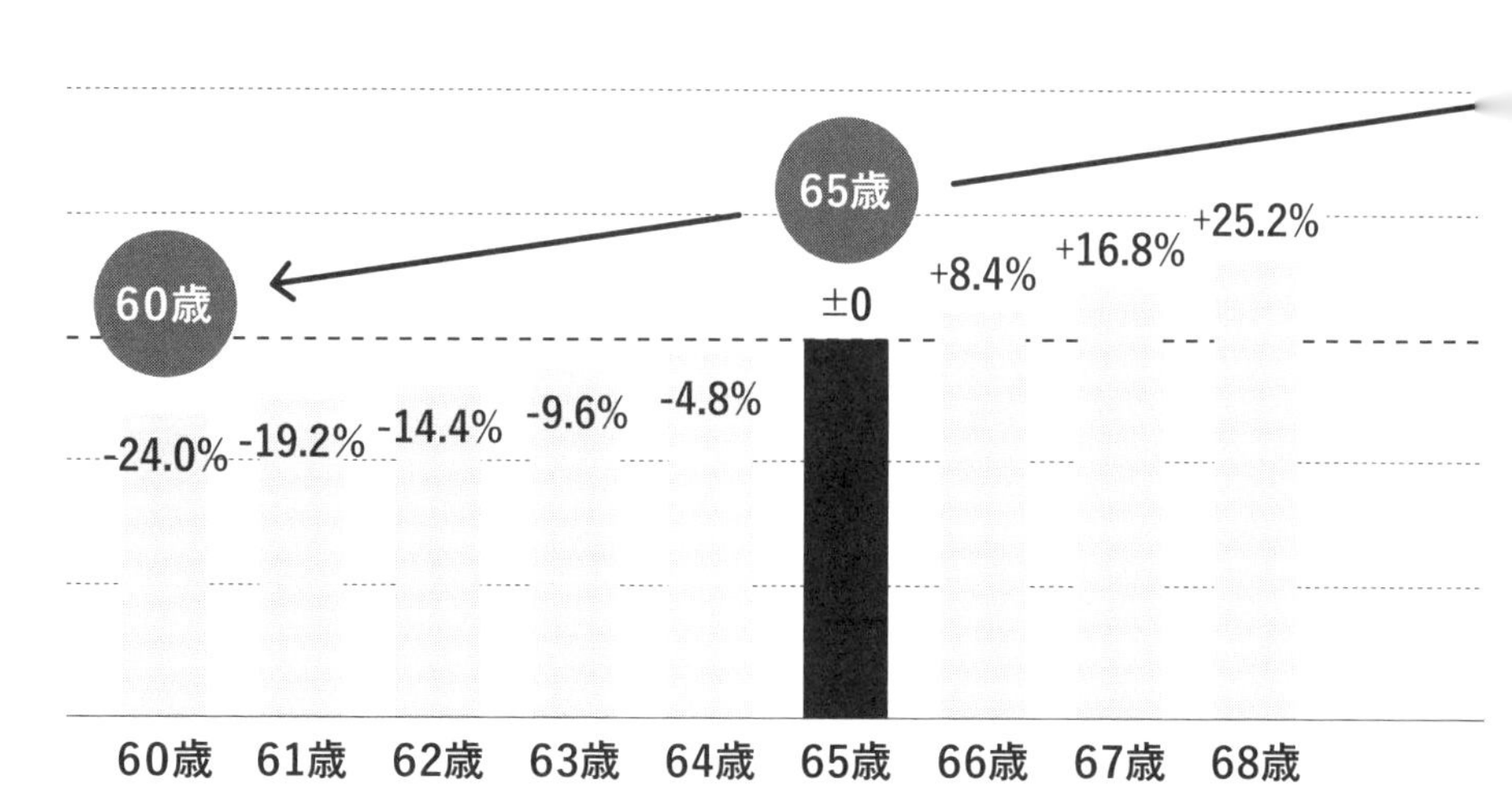

どの時点で、何をどのように受け取るかを自分で主体的に選択

（注）各年齢は0カ月の場合の数値

で、働いて収入を得たり、退職金や企業年金、そして自分で準備してきたお金（NISAを活用して積み上げてきた資産など）を活用したりする、ということになります。

なお、WPPについては『WPP シン・年金受給戦略』（谷内陽一、中央経済社）、公的年金については『知らないと損する年金の真実 2022年「新年金制度」対応』（大江英樹、ワニブックスPLUS新書）、『ちょっと気になる社会保障　V3』（権丈善一、勁草書房）を読むと理解が深まります。

◆定期的に解約していく方法もある

NISA口座で積み上げた資産を、将来、一気に解約する必要はありません。合同会社フィンウェル研究所代表の野尻哲史さんは、「売却は相場に合わせるのではなく、自分の人生に合わせるもの」と言っていますが、老後資産は必要に応じて少しずつ取り崩していけばよいのではないでしょうか。その年に必要な分だけ解約してお金を引き出す、というのが基本です。

自動的に投信を解約していくしくみを利用する方法もあります。すでに一部の金融機関では、投信を自動的に解約していけるサービスが登場しています。例えば、楽天証券は定率指定（0・1%以上50%以下、0・1%単位）のほか、期間指定（最終受取年月を指定）や金額指定などができ、NISA口座にも対応しています。そのほか、SBI証券やセゾン投信なども自動解約サービスを提供しています（2023年3月末現在、対応は課税口座のみ）。

リタイア後、最初は定率で取り崩していき、後半からは、例えば85歳までに使い切ると決めて期間指定（定口解約）していくといった方法も考えられますね。

楽天証券のようにＮＩＳＡ口座に対応をしているところはまだ少ないのですが、ＮＩＳＡが恒久化されたのを機に、解約時のサービスもより充実していくと考えます。

引き出して資産を使っていくときの参考図書としては、『１００年生きても大丈夫！ つみたて投資の終わり方　人生後半に向けた投資信託の取り崩しメソッドを解説！』（カン・チュンド、Ｋｉｎｄｌｅ版）、『50歳から始める！ 老後のお金の不安がなくなる本』（竹川美奈子、日本経済新聞出版）などが参考になります。

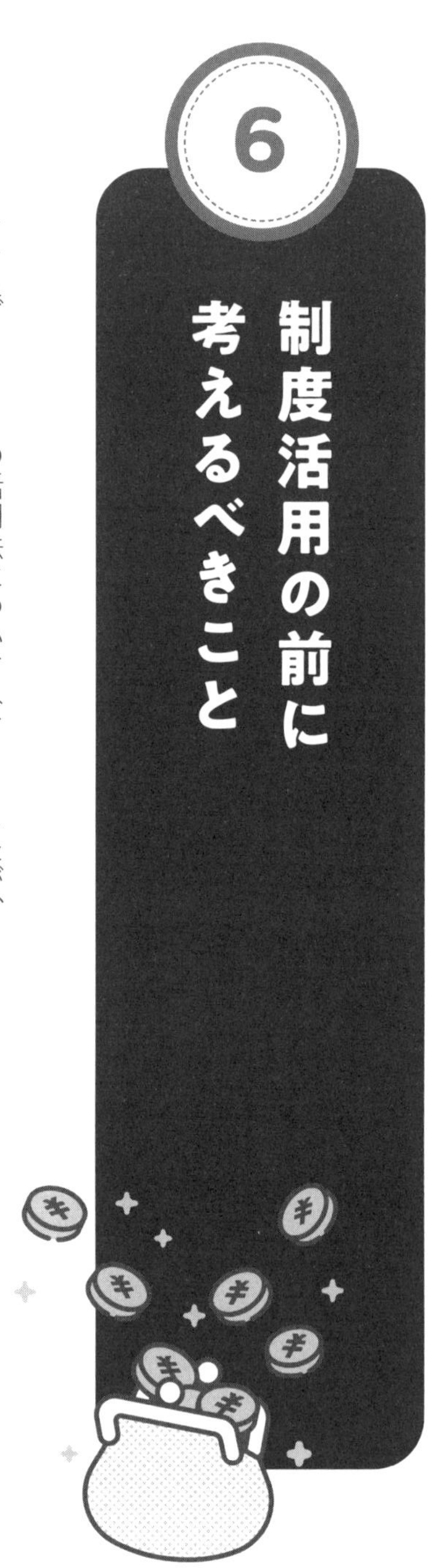

6 制度活用の前に考えるべきこと

ここまでＮＩＳＡの活用法についてみてきましたが、

・万一に備えるお金は投資に回さない
・売却しても翌年以降に枠は復活するが、数年後に使うお金は確保しておく

ことは大前提です。

そして、ＮＩＳＡはあくまでも制度です。目的は制度を使うことではなく、稼いだお金の一部を投資に回して資産形成を行うこと。あるいは、今、手元にある預貯金を投資に回す資産活用法だと思います。制度をめいっぱい使おうとか、効率的に使おうとか考える前に、まずは家計の現状把握（資産と負債、年間収支など）や、投資する目的、運用できる期間、投資に回せる金額

（お給料の一部を投資に回していくのか、今ある預貯金の一部を投資にあてるのか、その組み合わせか）などを整理しましょう。

この機会にライフプラン（どこで、だれと、どんなふうに暮らすか）や、キャリアプラン（何歳まで働くか、どんな働き方をするか）といったことを改めて考えてみてはいかがでしょうか。制度が恒久化されたことで、ＮＩＳＡは一生おつきあいしていける制度になりました。無理のない、自分なりの投資計画を立てて、長い目で活用していきましょう。

Point

現役世代はつみたて投資枠を優先して活用しましょう。世界の株式にまとめて投資できるインデックスファンドを、毎月、積み立てていく方法から始めてみましょう。

手元の資金に余裕があれば、成長投資枠とつみたて投資枠を併用して、年間３６０万円まで投資することも可能です。個別株や海外ＥＴＦになど投資する場合は、成長投資枠を活用することになります。

生涯投資枠１８００万円が埋まったら、そのあとは長期で運用を続けていきましょう。老後資金で使う場合は、一気に解約する必要はなく、必要な分だけ少しずつ解約していきましょう。

Column

リスクって何？

投資をするときに使われるリスクというのは、「どのくらい価格が変動する可能性があるか」を示すものです。リスクは標準偏差ともいわれ、数値で示されます。この数値が大きいほど「価格の値動き」が大きいことを示しています。ですから、価格が大幅に下がる場合だけではなく、価格が大幅に上がる場合もリスクが大きいということになります。逆に、大きく下がらないけれど、大きく上がることもないものはリスクが小さい（値動きの幅が小さい）ということになります。

Column

例えば、過去の投資信託について、運用実績の「リスク」というところをみると、「10」とか「20」というように数値が書いてあります。この数値をみると、その投信の価格がどの程度動くのかをイメージすることができます。

みなさんの公的年金の積立金の運用を行う、年金積立金管理運用独立行政法人（GPIF）が公表している各資産の期待リターンのリスクの数値をもとにイメージトレーニングをしてみましょう（図表2-17）。

投資したときの損益は、95%の確率で「リターン±リスク×2倍」の範囲に収まるといわれます。

例えば、外国株式*の期待リターンは7・2%、リスクは24・85%となっています。ちょっと難しいのですが、外国株式に投資するときには、長い目でみると7・2%程度の収益が期待できるけれど、短期的にはその期待リターンを起点に上にも下にも、24・85%の2倍（約50%）変動する可能性がありますよ、ということです。かなり大きく変動するのがわかります。

一方、日本債券のリスクは2・56%です。期待されるリターンも高くありませんが、変動も2・56%の2倍（約5%）ほどに抑えられます。

数値をみて、リスク×2倍くらいは上にも下にも動くのだな、とイメージできるようになるとよいですね。

＊MSCI ACWI（除く日本、円ベース、配当込み）という日本を除く46カ国・約2600社をカバーする指数を使用。

図表2-17 ｜ 数値から値動きの大きさをイメージ

	国内債券	外国債券	国内株式	外国株式
期待リターン（名目リターン）	0.7%	2.6%	5.6%	7.2%
実質リターン	−1.6%	0.3%	3.3%	4.9%
リスク	2.56%	11.87%	23.14%	24.85%

（注）実質的なリターンは「名目リターン−名目賃金上昇率(2.3%)」
（出所）「基本ポートフォリオの変更について（詳細）」（年金積立金管理運用独立行政法人・2020年）

第3章

Q&A 丸わかり！
新しいNISA

1

NISA口座をどうするか

▼今の口座からの移管

Q.1

今つみたてNISA（あるいは一般NISA）で持っている商品を、新しいNISA口座に入れられますか？

A

新しいNISA口座には移せません。

2024年スタートのNISA口座は2023年までのNISA（つみたてNISA、一般NISA）とは切り離され、新しい制度としてスタートします。そのため、つみたてNISA口座や一般NISA口座で保有する商品を新しいNISA口座に移すことはできません。2024年からのNISA口座で非課税の対象となるのは「新規に購入した」商品に限られます。

▼今の口座からの移管

Q.2

今、特定口座で持っている投資信託をNISA口座に入れたいのですが？

A 「新規で買う」商品のみが対象です。

現在、金融機関の課税口座（特定口座や一般口座）ですでに保有している株式や投信なども、新しいNISA口座に移管することはできません。非課税の対象となるのは、NISA口座内で「新規に購入した」商品に限られます。特定口座にある商品を非課税で運用したい場合には、特定口座にある商品を売り、新しいNISA口座で買い直すことになります。

▼今の口座からの移管

Q.3

今、一般NISAを利用しています。2024年までに何か手続きが必要ですか？

A

自動的に口座が開設されます。

Q.4

新しいNISAの年間投資上限額360万円は、4月に口座を開設したら、4月から翌年3月までというように任意で設定できるのでしょうか？

▼年間投資枠の期間

今、つみたてNISAや一般NISA口座を開設して利用している人は、同じ金融機関に自動的に2024年から新しいNISA口座が開設されます。2024年以降も同じ金融機関でNISA口座を利用したい人は、特段手続きを行う必要はありません。積立金額をふやす、商品を変更するといったことを検討している場合には、改めて設定を行いましょう。

また、この機会に金融機関を変更したい場合には、金融機関を変更する手続きを行う必要があります（本章Q8参照）。

A 何月に開始しても、その年の12月までです。

ＮＩＳＡの年間投資枠は、その年の１月から12月末[*1]までの１年間に使える投資枠のことをいいます。何月に口座を開設したとしても同じです。例えば、４月に口座を開設した場合、初年度に投資できる期間はその年の４月から12月末までの９カ月ですが、利用できる投資枠は３６０万円（つみたて投資枠１２０万円、成長投資枠２４０万円）と変わりません。

＊1　受渡日があるため、商品ごとに締め切りが異なります。

▼課税口座との組み合わせ

Q.5 NISA口座とセットで作る課税口座は何を選んだらよいですか？

A 特定口座（源泉徴収あり）がベターです。

NISA口座で取引をするには、1つの金融機関（証券会社や銀行、投信を直接販売する運用会社など）を選んで口座を開設し、商品を選択、購入していきます。ただ、NISA口座だけ単独で作ることはできず、証券総合口座を開設する必要があります（図表3-1）。

証券総合口座では課税口座もセットになっているので、申し込み時に特定口座か一般口座のどちらかを選択する必要があります。

特定口座は、投資家が簡易に納税申告ができるようにすることを目的に創設されたもの。金融機関が年間取引の損益計算をし、年間取引報告書を発行してくれます。特定口座には「源泉徴収あり」と「源泉徴収なし」の2種類がありますが、「源泉徴収あり」は、売買のつど、徴収する源泉徴収税額を私たち投資家に代わって金融機関が税務署へ納税してくれるので、確定申告は不要です。[*2]「源泉徴収なし」を選択すると、金融機関が年間取引の損益計算を行い、年間取引報告書を発行します。それを用いて自分で確定申告を行い、利益が出ていれば納税します。

一方、一般口座は、取引報告書などの書類をみて損益を自分で計算し、確定申告を行う必要があります。手間がかかるため、特定口座（源泉徴収あり）を選んでおくのが無難といえそうです。

＊2　一般口座やほかの証券会社などの特定口座との損益通算、譲渡損失の繰越控除の特例を受けるには、確定申告が必要。

図表3-1 ｜ 口座の種類

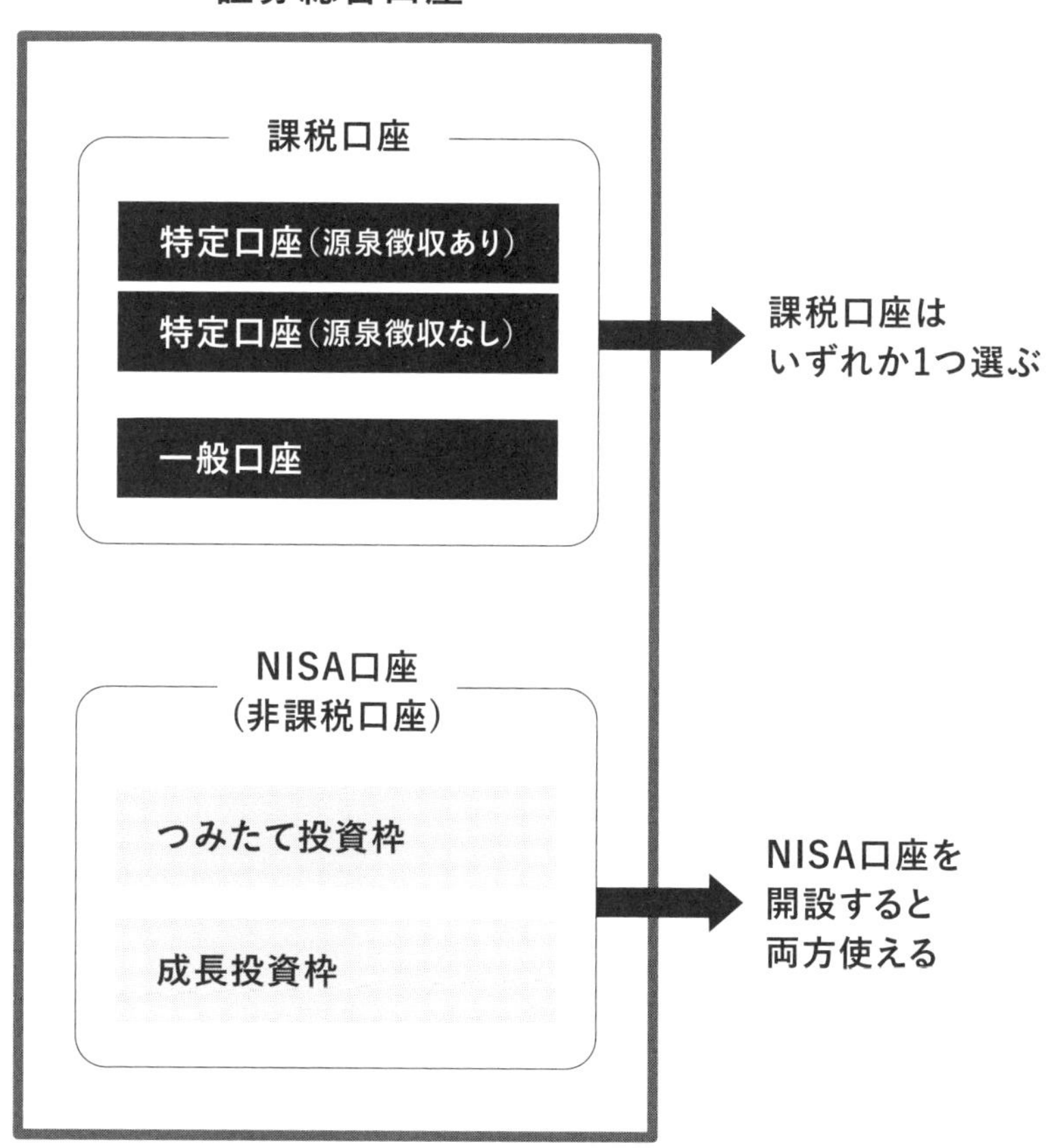
証券総合口座
課税口座
特定口座（源泉徴収あり）
特定口座（源泉徴収なし）
一般口座
課税口座は
いずれか1つ選ぶ
NISA口座
（非課税口座）
つみたて投資枠
成長投資枠
NISA口座を
開設すると
両方使える

2

金融機関をどうするか

▼金融機関の選び方

Q.6

NISAは
どの金融機関で始めたらよいですか？

A 買いたい商品を取り扱っている金融機関を選びましょう。

金融機関によって購入できるNISA対象商品は異なります。自分の運用方針に合った、利用したいと考えている商品をNISA口座で購入できるかどうかをしっかり確認しましょう。そうでないと、「NISA口座を開設したら、投信の品ぞろえがイマイチだった」「株式を買いたかったのに、（株式を購入できない）銀行でNISA口座を開設してしまった」「海外ETFを買いたかったのに、取り扱いがなかった」ということも起こりえます。

例えば、ネット証券はNISA口座で買える商品を多く扱っているため、選択肢が豊富です。クレジットカードを利用した積み立て（ポイント還元もあり）もできるため、特に現役世代の利用がふえています。

ネットを使い慣れている人、投信を自分で選択できる人、個別株や海外ETFなども購入したい人にとってはSBI証券や楽天証券といったネット証券が第1候補となります。いずれも取り扱い商品が多く、大手ネット証券であれば大きな差はないので、提携している銀行やクレジットカードなどをみて、日常生活を送る中で使い勝手や相性がいい証券会社を選択すればよいと思います。

一方、NISA口座を開設したのに取引をしていない人もいます。[*3] 選択肢の多さが逆にネックになることもあります。つみたて投資枠で購入できる商品は限定されているため、つみたて投資枠だけを使って投信の積み立てをするなら、給与振込先の銀行で始めるという選択肢もあります。例えば、銀行の中には、つみたてNISAの対象商品が日本株のインデックスファンド、日本を除く世界株のインデックスファンド、バランス型投信の3本のみというところもあります。これなら選択しやすいでしょう。

ベストを求めるのも大事ですが、自分に合ったベターな金融機関を選んで投資をスタートし、続けていくことが大切です。

すでにNISA口座を開設している人も、2024年からのNISAの恒久化を踏まえ、現状の金融機関で投資を継続するのか、これを機に変更するのか、検討しましょう。

2024年からNISAの投資枠が大幅に拡充されるため、口座開設キャンペーンなどを実施する金融機関も多いとみられます。目先のポイント付与やプレゼント、預金の金利上乗せなどに目を奪われるのではなく、取り扱い商品や手数料、サービスを比較・検討した上で金融機関を選びたいところです。

＊3 NISA口座の利用状況調査（2021年12月末時点。金融庁）によると、一般NISAでは約50%、つみたてNISAでは約28%が1年通して買付額がゼロでした。

▼金融機関の選び方

Q.7

つみたて投資枠と成長投資枠で、別々の金融機関を利用することはできますか？

A

できません。

NISA口座を開設すると、NISA口座の中につみたて投資枠、成長投資枠という2つの箱（別勘定）がセットで開設されます。それぞれ別の金融機関にすることはできません。

▼ 金融機関の変更

Q.8

今、つみたてNISAで利用している金融機関から、別の金融機関に変更はできますか?

A 金融機関を変更することは可能です。

2024年から新しいNISAが始まりますが、すでにつみたてNISAや一般NISA口座を開設している金融機関から変更することは可能です。何もしないと、現在利用している金融機関に2024年から新しいNISA口座が開設されるので、別の金融機関に変更したい場合は変更の手続きを行いましょう（締め切り日などは各金融機関にお問い合わせください）。

例えば、A証券からB証券にNISA口座を変更したい場合、

①A証券のNISA口座を廃止し、B証券のNISA口座を開設する

②A証券のNISA口座はそのまま残し、翌年からB証券にNISA口座を開設する

の2つの選択肢があります（図表3-2）。

当初は①の選択肢しかありませんでしたが、今はA証券にNISA口座を残したまま、新たにB証券でNISA口座を開設するという②の選択肢も可能です。ただし、同じ年に2つの金融機関のNISA口座を利用できるわけではなく、あくまでも年単位での変更になります。

①と②はどう違うのでしょうか。

例えば、2021年から2023年までA証券のNISA口座で投資を行い、2024年からはB証券に変更したとします。

①の場合、A証券のNISA口座は廃止となり、2024年以降NISA口座は

図表3-2 ｜ 証券会社を変更する方法

① A証券のNISA口座を廃止

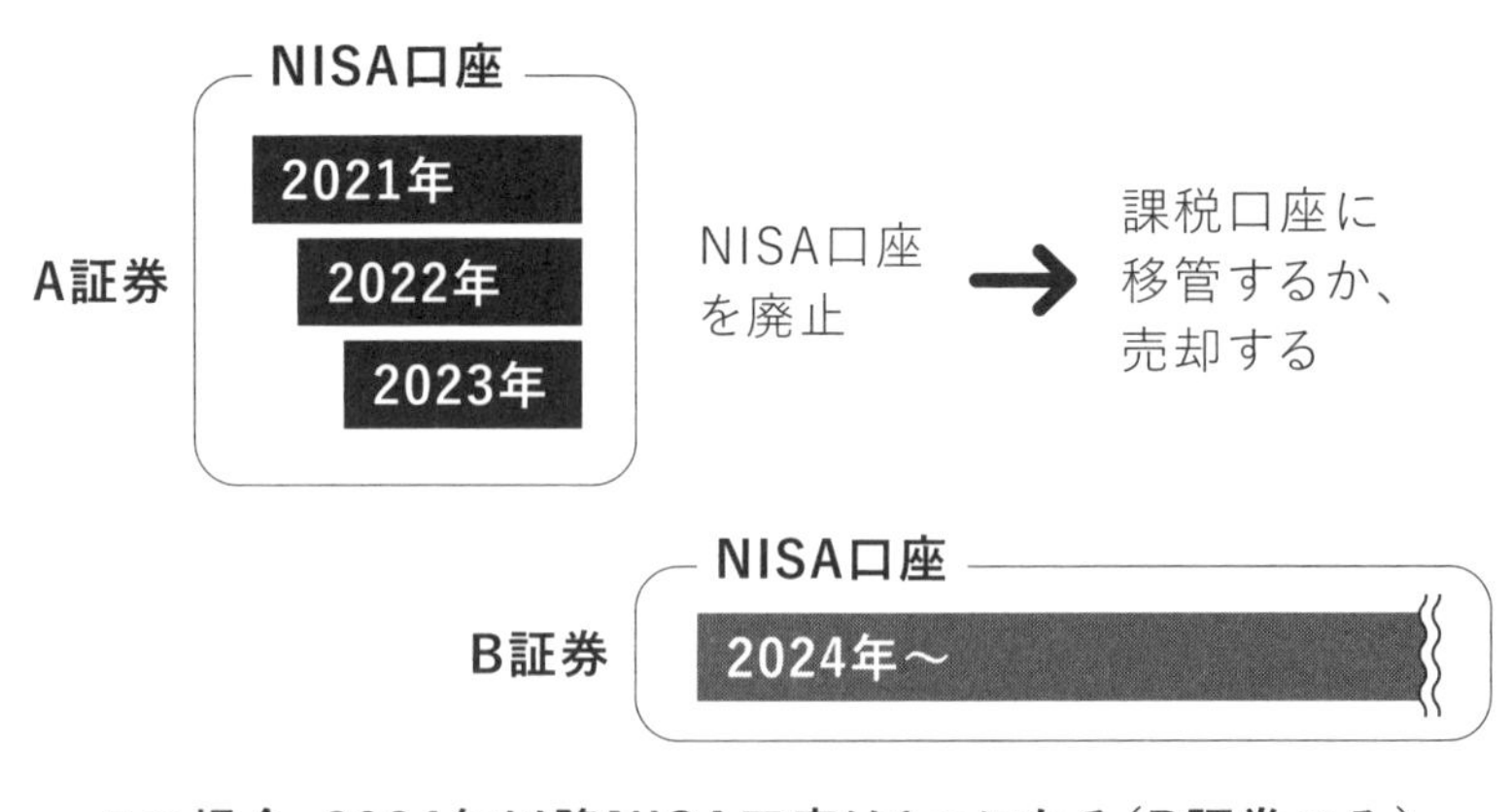

この場合、2024年以降NISA口座は1つになる（B証券のみ）

② A証券のNISA口座を残す

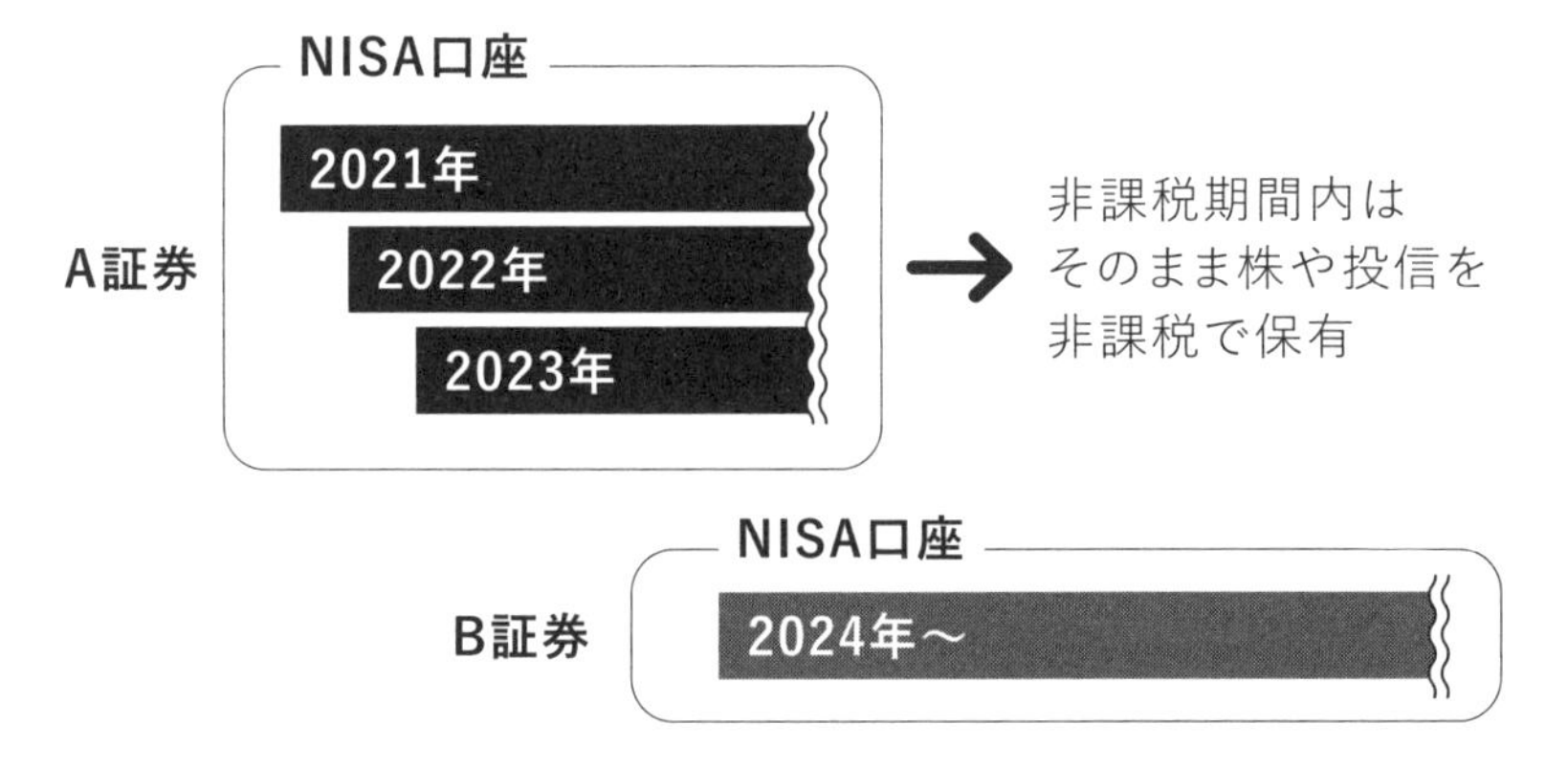

この場合、2つの金融機関にNISA口座ができる

Q.9

金融機関を変更する場合、どのような手続きをすればよいのですか？

▼金融機関の変更

1つになります（B証券のみ）。

②の場合、A証券のNISA口座は維持したまま、翌年からB証券のNISA口座の非課税枠を利用することになります。この際、A証券で保有している投信などをすぐに解約する必要はなく、そのまま非課税期間内（つみたてNISAは20年、一般NISAは5年）はそのNISA口座で運用を続けることができます。その間に、株式や投信を解約した場合はもちろん非課税です。2つの金融機関にNISA口座を持つことにはなりますが、このケースでは2024年以降にNISA口座で投資ができるのはB証券だけです。

まず現在NISA口座がある金融機関で手続きをします。

前のQ8のケースで説明します。

金融機関を変更するには、現在NISA口座のある金融機関（このケースではA証券）に連絡をし、2024年以降のNISA口座を他の金融機関に変えたい旨を連絡します（ウェブ上で申し込む、コールセンターに電話する、対面で申し込むなど金融機関により異なります）。「金融商品取引業者等変更届出書」を提出し、「勘定廃止通知書」（②NISA口座を残したまま別の金融機関に変更する場合）または「非課税口座廃止通知書」（①NISA口座自体を廃止する場合）を入手します。

そして、新たにNISA口座を開設したい金融機関（B証券）にNISA口座の申込書類を請求し、A証券から受け取った「勘定廃止通知書」もしくは「非課税口座廃止通知書」を「非課税口座開設届出書」や本人確認書類といっしょに提出します。B証券と税務署の審査が完了すると、B証券にNISA口座ができます。

▼金融機関の変更

Q.10

金融機関を変更する場合、NISA口座（つみたてNISA・一般NISA）で保有する投信を移管できますか？

A できません。

1年単位で金融機関を変更することはできますが、NISA口座で保有している投信などを、そのまま別の金融機関のNISA口座に移すことはできません。

例えば、A証券のつみたてNISA口座で購入した投信を、翌年新たにNISA口座を作ったB証券に移管することはできません。どうしても移管したい場合には、一度、特定口座などの課税口座に移してから、他の金融機関の特定口座などに移管することになります。その場合も、投信は同じ種類を扱っているなどの制約があります。

3 商品の選び方と活用法

▼買える商品

Q.11

購入したい投信が
NISAの対象かどうかわかりません。

A 金融庁や投資信託協会のサイトで公表されます。

Q.12

▼買える商品

つみたて投資枠と成長投資枠で同じ商品を買うことはできますか？

つみたて投資枠で購入できる商品は、現在のつみたてＮＩＳＡの対象商品と同じなので、金融庁のウェブページで公表されています。運用会社から届出があれば商品を追加し、随時更新されます。

成長投資枠の商品のうち、運用会社から届け出のあった国内籍の公募投資信託、上場投資信託・上場投資法人（ＲＥＩＴやインフラファンド）については、投資信託協会がホームページで公表する予定です。ただし、金融機関ごとに取り扱っている商品は異なるため、確認してください。海外ＥＴＦについては各販売金融機関の判断となる見通しなので、各社のホームページなどを確認しましょう。

Q.13

▼買える商品

つみたて投資枠で保有している投信が一定の条件を満たさなくなったら、売らないといけないのですか？

A 買えます。

つみたて投資枠の対象商品は、成長投資枠でも対象となります。そのため、成長投資枠でも、つみたて投資枠で買える商品を購入すれば、両方の枠で同じ商品を購入していくことが可能です。

A

そのまま持ち続けても大丈夫。積み立ても継続できます。

つみたて投資枠で買える商品は、一定の条件を満たす必要があります。例えば、アクティブファンドなど指定インデックスファンド以外の投信には、手数料のほか、「純資産総額が50億円以上」「設定来、資金流入超の回数が3分の2以上」といった条件がついています。仮に、投信から資金の流出が続いたり、株式市場が暴落して純資産総額が50億円を下回ったりしたら、どうなるのでしょうか。

つみたて投資枠の対象となるには、運用会社が条件を満たす投信やETFを金融庁に届け出るというプロセスが必要になります。この届出のときに条件を満たしていれば合格です。いわば入学試験のようなものなので、その後、対象となっている投信の資産残高が50億円を割り込んだとしても、現状ではつみたてNISAの対象から外される、ということはありません。そのまま投信の積み立てを継続することもできますし、そのまま非課税で保有することができます。

▼買える商品

Q.14

成長投資枠で買えない商品はどのようなものですか？

A 毎月分配型や運用期間の短い投信は買えなくなります。

新しいNISAの成長投資枠では、従来の一般NISAとほぼ同じ商品が購入できます。例えば、上場株式（日本株や外国株、ETF・REIT含む）や公募株式投信などです。ただし、これまでの一般NISAでは購入できたのに、成長投資枠

では買えなくなる商品もあります。具体的には、整理銘柄・監理銘柄に指定された上場株式です。すでに上場廃止が決まっている会社、もしくは上場廃止のおそれがある会社の株式は購入できません。

投信・ETFでは、信託期間が20年未満のもの、毎月分配型の投信、そして、高レバレッジ型の投信が買えなくなります。例えば、一部の投資家に人気のあった、日々の基準価額（投信の値段）の値動きが特定の指数の動きに対して2倍、3倍と大きく動くような投信などは対象外になります。また、デジタルトランスフォーメーション（DX）や人工知能（AI）、ブロックチェーンなど、話題性のある旬なテーマに関連した会社に投資する投信などは信託期間が短いものが多く、やはり対象外となるものが多そうです。

NISAは個人の資産形成を応援しようとする制度です。そのため、恒久化を契機に、成長投資枠についてもより資産形成に適した商品に限定して税制上優遇するということになったようです。

▼商品の購入

Q.15

つみたて投資枠では、自分の好きなときに投信を買えますか？

A 買えません。年2回以上、積み立てることが必要です。

つみたて投資枠では、年間の非課税投資枠（120万円）の範囲内で、「定期的に」「継続して」商品を購入していく必要があります。ですから、自分の好きなタイミングで、まとまった資金で投信を購入することはできません。

毎月一定額ずつ積み立てるというのがオーソドックスな方法ですが、それ以外にも、毎日、週に1回（特定の曜日）、隔月、年2回（ボーナス時）といった頻度で積み立てを行ってもＯＫです。また、毎月一定額を積み立てていき、年２回のボーナス時に増額することもできます。積み立ての設定ができる頻度や、ボーナス時に増額できるかどうかといった対応については金融機関によって異なります。ＮＩＳＡ口座を開設する金融機関に確認しましょう。

成長投資枠では、自分が買いたいときに商品を購入することができますし、積み立てで購入していくこともできます。

▼商品の変更

Q.16

つみたて投資枠・成長投資枠で積み立てている投信を、途中で変更することはできますか？

できます。

つみたて投資枠・成長投資枠ともに、積み立てている投信を途中で変更できます（図表3－3）。例えば、「1月から3月までA投信を積み立ててきたけれど、4月からB投信を積み立てたい」という場合、A投信の積み立てをやめて、B投信の積み立てを設定すればOKです。このとき、A投信については、そのまま非課税で運用を続けることもできますし、一部またはすべてを解約して現金化することもできます。ただし、A投信を解約したお金でB投信を買うことはできません。

A投信を解約したお金はNISA口座から出て現金化されます。つみたて投資枠の場合、年間投資枠（120万円）の範囲内でB投信の積み立てを設定すれば、B投信を積み立てていくことができます。成長投資枠の場合も、年間非課税枠（240万円）に空きがあれば、A投信を解約したお金でB投信を購入することができます。積み立ての設定をして購入することも可能です（図表3－4）。

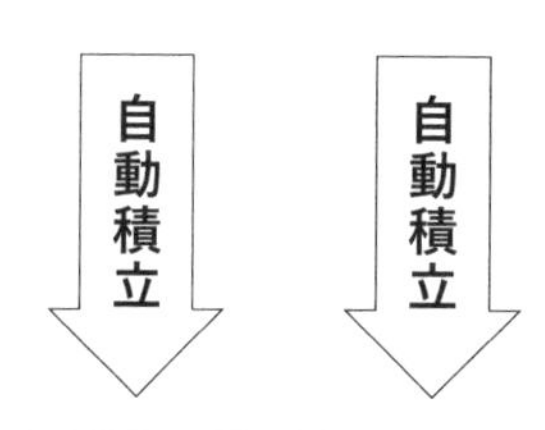

積み立ててきたA投信は
・そのままNISA口座で非課税で運用を継続
・解約して現金化　いずれもOK

B投信　B投信
5月　6月

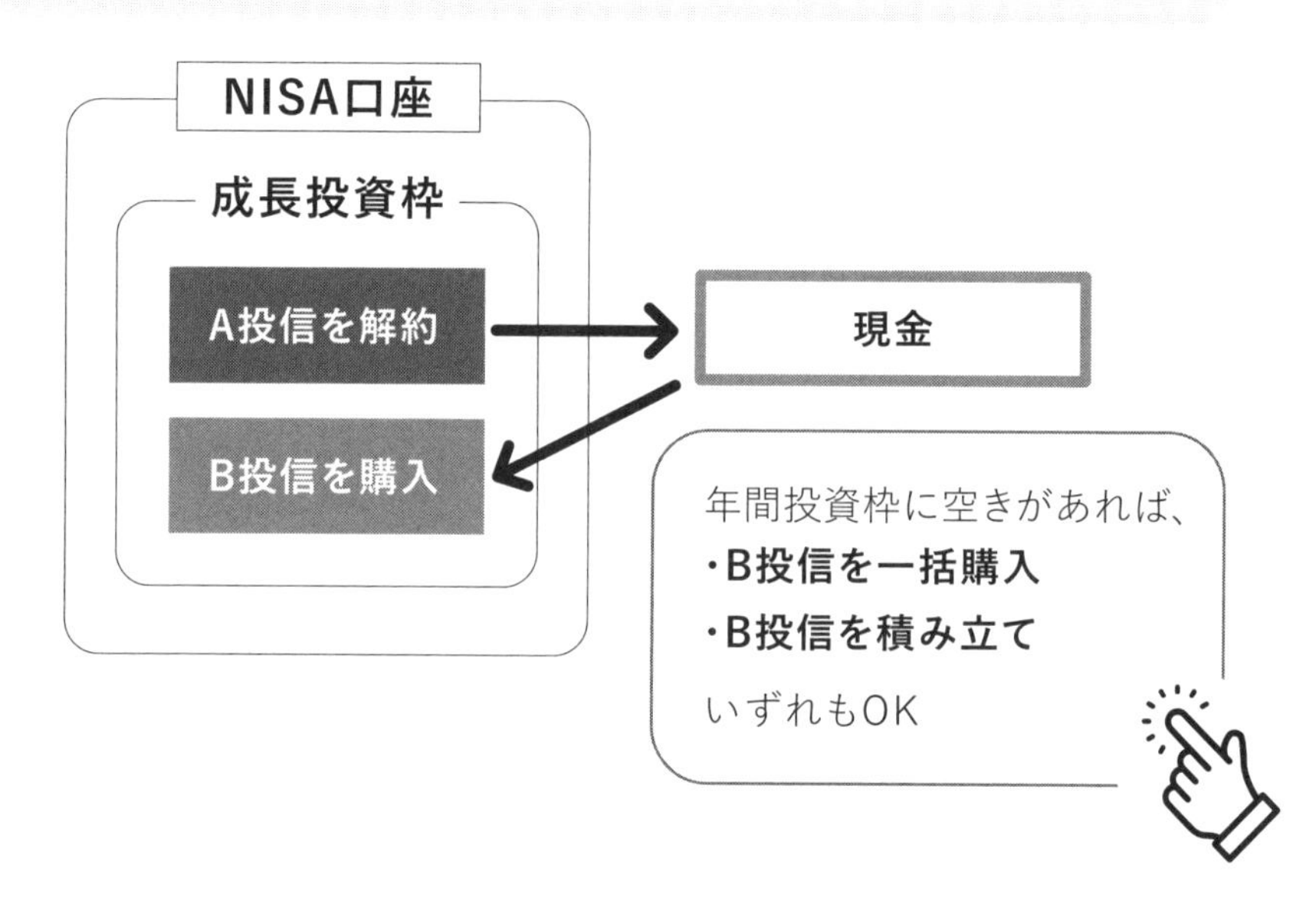

図表3-3 | 途中で積み立てる商品を変更してもOK

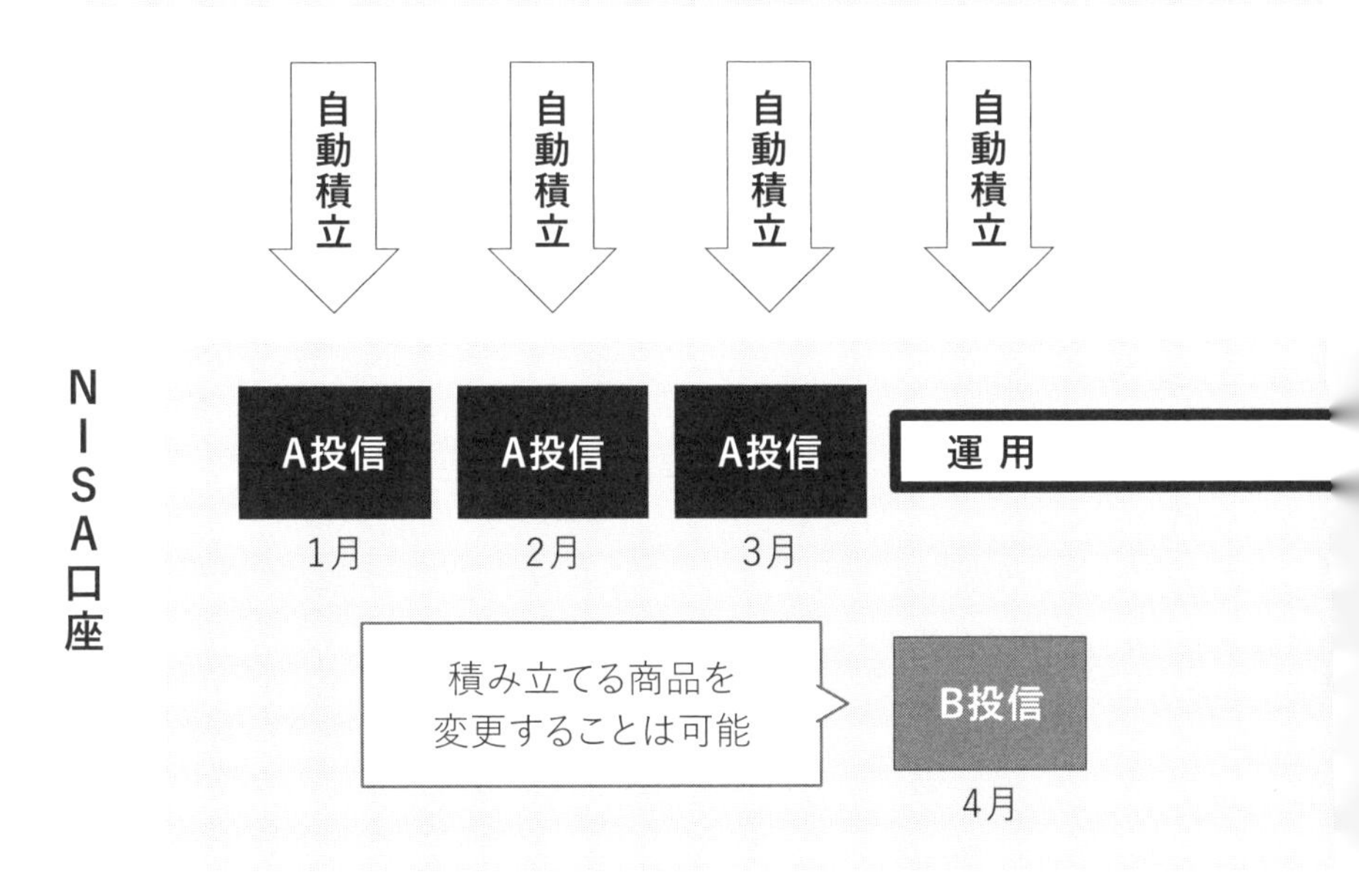

図表3-4 | 年間投資枠に空きがあれば別の投信を買える

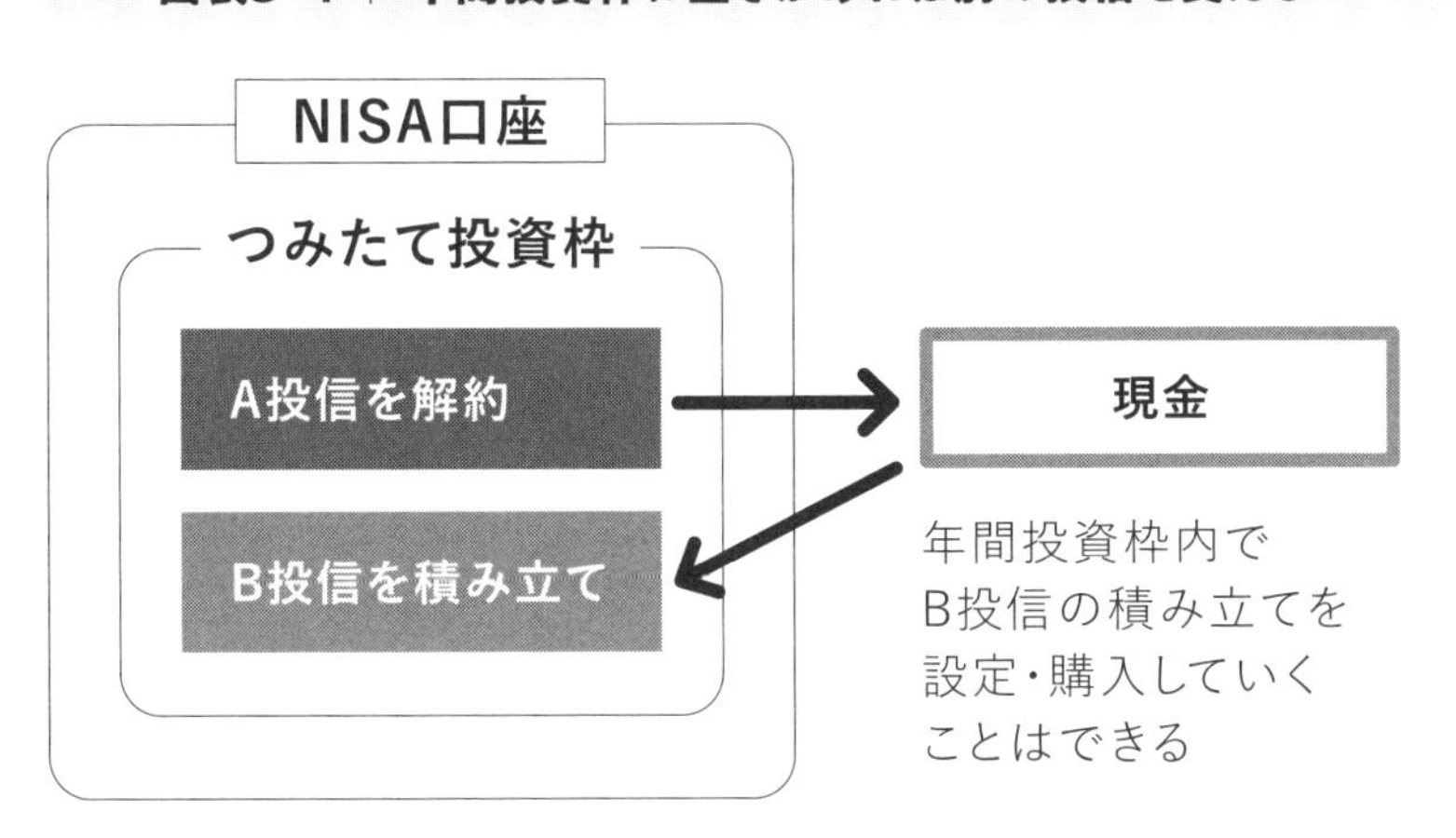

Q.17

積立額を変更することはできますか？

A できます。

つみたて投資枠、成長投資枠ともに年間の非課税投資枠の範囲内であれば、積立額を変更することは可能です。

例えば、A投信を毎月1万円積み立ててきたけれど、余裕ができたので2万円にふやす、ということは比較的かんたんにできます。ネット証券などでは自分の口座にログインし、積立額の設定を変更します。

家計の状況に合わせて、投信の積立額をふやすだけでなく、減らしたり、厳しいときには積み立てをやめたりすることも可能です。そして、必要に応じて投信の一部または全部を解約して現金化し、引き出して使うこともできますし、長期で運用することも可能です。このように、NISAは柔軟な設計になっています。

▼投信の繰上償還

Q.18

NISA口座で保有している投信が、繰上償還された場合はどうなりますか？

A

売ったときと同じ扱いになります。

投信の繰上償還というのは、あらかじめ決められた信託期間よりも前に、事情があって運用がストップされてしまうことをいいます。ＮＩＳＡ口座で購入した投信が仮に繰上償還になると、そのまま運用を続けることができず、現金化されてしまいます。繰上償還の理由は、残高が少なく、運用が困難になった場合が多いです。

これまでつみたてＮＩＳＡ対象商品で繰上償還になった投信はありませんが、一般ＮＩＳＡで取り扱いのあった投信が繰上償還されたり、ＥＴＦが上場廃止になったりしたことはあります。

繰上償還は売却とみなされます。２０２４年からは、売却した場合は非課税投資枠（売ったときの時価ではなく取得価格）が翌年には復活するため、再びその非課税投資枠を使って投資をすることはできます。繰上償還時に利益が出ていても課税されませんが、そもそも長期的に運用しようと思っていたのに、自分の意志とは関係なく現金化されてしまうのは資産形成にとってはマイナスです。

◆目論見書などで事前に条件をチェック

以上のとおり、なるべく繰上償還されるリスクの低い商品を選びたいところです。投信を購入するときに読む交付目論見書にヒントがあります。

交付目論見書の後半にある「手続き・手数料等」の中のお申込メモの欄をみると「信託期間」と「繰上償還」について記載されています（図表3-5）。信託期間が「無期限」と書いてある場合は、ずっと運用されますよ、という意味です。「2030年3月30日」などと期限が書いてあるものは、原則その日まで運用が行われるという意味です。つみたて投資枠・成長投資枠ともにNISAの対象となる投信については、信託期間が無期限か、20年以上のものとされています。あわせて繰上償還の項目をみると、どういう状態になったら繰上償還されてしまうのか、という条件がわかります。

実際にその投信の「純資産総額が安定的にふえているか」「資金が安定的に流入しているか」をチェックしましょう。投信を設定・運用する運用会社のサイトに掲載されている月次レポートや、ネット証券などの販売会社のサイト、ウエルスアドバイザー（旧モーニングスター）など投信評価会社のサイトなどで確認できます。

図表3-5 | 交付目論見書の繰上償還の条件をチェック

●交付目論見書の記載事項

商品分類・属性区分

1）ファンドの目的・特色

2）投資のリスク

3）運用実績
●基準価額・純資産の推移
●分配の推移
●主要な資産の状況
●年間収益率の推移

4）手続き・手数料等
●お申込メモ
●ファンドの費用・税金

●お申込メモ
購入単位
購入価額
購入代金

換金単位
換金価額
換金代金
⋮

信託期間：無期限
（2010年○月○日設定）

繰上償還：受益権口数が10億口を下回ることになった場合

・信託期間はいつまでか
・どういう状態になったら運用が終了してしまうのか
をチェックしましょう！

▼成長投資枠の利用

Q.19

成長投資枠だけを利用することはできますか？

A できます。

個別株だけ買いたい、あるいは海外ETFやつみたて投資枠の対象になっていない投信を買いたいという人は、つみたて投資枠を使わずに、成長投資枠だけを利用することもできます。その場合、年間投資枠は240万円です。

また、一生涯で利用できる非課税投資額の累積（生涯投資枠）は1人当たり1800万円までと決められていますが、成長投資枠で利用できるのはそのうちの

1200万円まで。つみたて投資枠と併用する場合と比べると600万円少なくなってしまいます。

せっかくなら、成長投資枠を使い個別株や海外ETFに投資したいと思っている人も、余裕があればつみたて投資枠を併用してはどうでしょうか。幅広く分散された投信を保有することは資産形成・資産活用の土台になりますし、年2回以上、定額購入すれば積み立てとみなされます（積み立て頻度は金融機関により異なります）。

Q.20

▼生涯投資枠

NISA口座で買った投信や株が値上がりして、生涯投資枠の1800万円を超えてしまったらどうなりますか？

1800万円以上になっても問題ありません。

NISAの生涯投資枠は1800万円と決められています。これはNISA口座内で、金融商品を購入した金額の累計が1800万円までという意味です。ですから、例えば、購入した後に、NISA口座内の株や投信が値上がりして2000万円になったとしても、なんの問題もありません。そのまま運用を続けることができます。

▼デメリット

Q.21

NISA口座で買った株や投信が値下がりしたらどうなりますか？

A 何もメリットはありません。ほかの口座と損益通算できない分、不利になります。

NISA口座では、株や投信の配当・分配金、譲渡益が非課税となる代わりに、損もなかったものとみなされます。そのため、ほかの証券口座の利益や配当などと損益を通算することができません。

さらに、NISA口座内で複数の商品を買っていた場合の損益通算もできません。例えば、A投信とB投信の2本を保有していたとします。A投信が10万円の値上がり、B投信は8万円の値下がりだったとします。この場合、A投信の売却益10万円に対する税金2万315円は課税されませんが、B投信の損はそのまま投資家がこうむることになります。

また、特定口座や一般口座の場合には、年間を通した損を、確定申告して翌年以降の利益と相殺できる制度もありますが、NISA口座ではそれも利用することはできません。

▼株主優待

Q.22

NISA口座で株を買っても株主優待は受け取れますか？

A 受け取れます。

一般NISAや新しいNISAの成長投資枠で株主優待のある会社の株式を買った場合には、通常どおり株主優待を受け取ることができます。また、特定口座で同じ株式を保有している場合には名寄せされて株主名簿に載るため、株数が合算され、それに応じた株主優待を受けることができます。

4

投資を続ける際の注意点

▼枠の復活

Q.23

「NISA口座で買った株や投信を売却したとき復活する枠は、買ったときの金額ですか？それとも売ったときの金額ですか？」

A 買ったときの金額です。

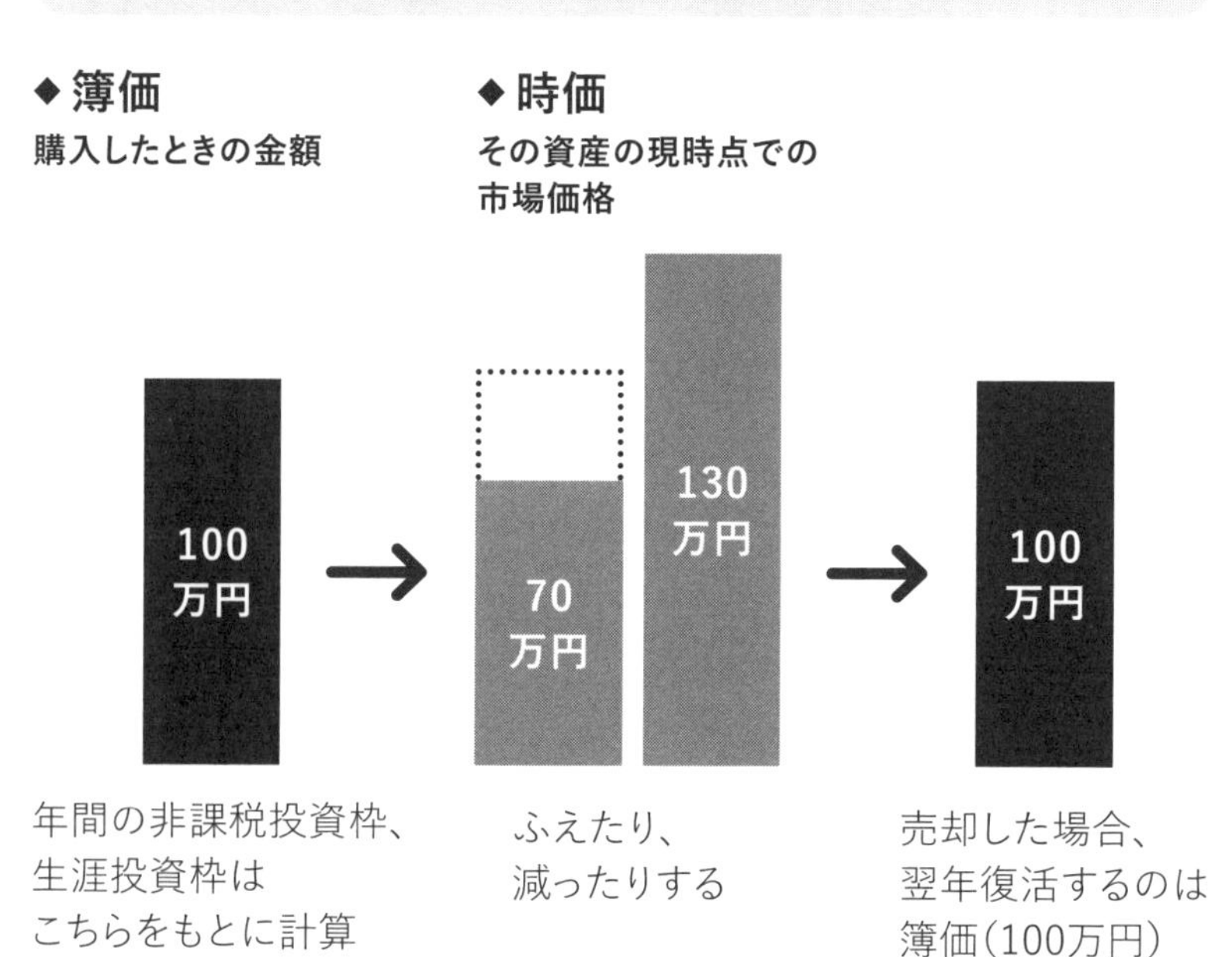

新しいＮＩＳＡでは、保有している金融商品を売却すると枠が復活しますが、そのときの基準は買ったときの金額（簿価）です（図表３‐６。図表１‐４を再掲）。生涯投資枠も簿価残高方式で管理、つまり買ったときの金額を累計していく方式です。

海外ＥＴＦや米国株など、為替が関係するものについては簿価の把握が難しいので、各金融機関で確認しましょう。

▼枠の復活

Q.24

「同じ会社の株式を数年にわたり何度も買った場合、取得価格はどうなりますか？売った場合は、枠はいくら復活しますか？」

A 買った金額の平均で算出されます。

同じ金融商品を複数年にわたって買った場合、取得価格は購入価格の〝平均〟で計算されます。例えば、成長投資枠でA社の株式を1年目に1株3000円で100株買ったとします。2年目には1株4000円で100株買いました。そして3年目に、200株のうち100株を売りました。この場合、復活する枠は、1

年目と2年目の購入価格の平均に売却分100株をかけた35万円です。

新しいNISAは恒久化され、非課税期間も無期限になりますから、何年にいくらで買ったという概念はなく、あくまでも「取得単価3500円の株を200株持っている」とみなされるのです。ただし、つみたて投資枠と成長投資枠は別勘定となります。

▼始める時期

Q.25

「NISAはいつ始めたらいいですか?」

A 積み立てが前提なら、始めるのは今です。

投資というと、「相場をみて売り買いするもの」「安いときに買って、高くなったら売る」といったイメージがあるせいか、価格が下がるまで待つと考える方も多いようです。けれど、つみたて投資枠や成長投資枠を活用して投信を一定金額ずつ積み立てていく方法であれば、タイミングを計る必要はありません。

毎月（毎週や毎日でも）一定金額ずつ購入していくことを「ドルコスト平均法」といいます。この方法だと、価格が下がったときにはたくさんの口数（投信の単位）を購入し、価格が上がったときには少しの口数しか購入しないしくみになっています（図表3－7）。

仮に価格が高いところから始めて、その後下がったとしても、たくさんの口数を買えてよかった、くらいに考えたいものです。積立投資を続けていった結果、最終的に受け取る金額は、価格と保有する口数の掛け算で決まるからです。

- 最高の投資タイミングはだれにもわからない
- 株式の期待リターンはプラスである
- 積立投資は下がったときにたくさん買える

というふうに考えましょう。

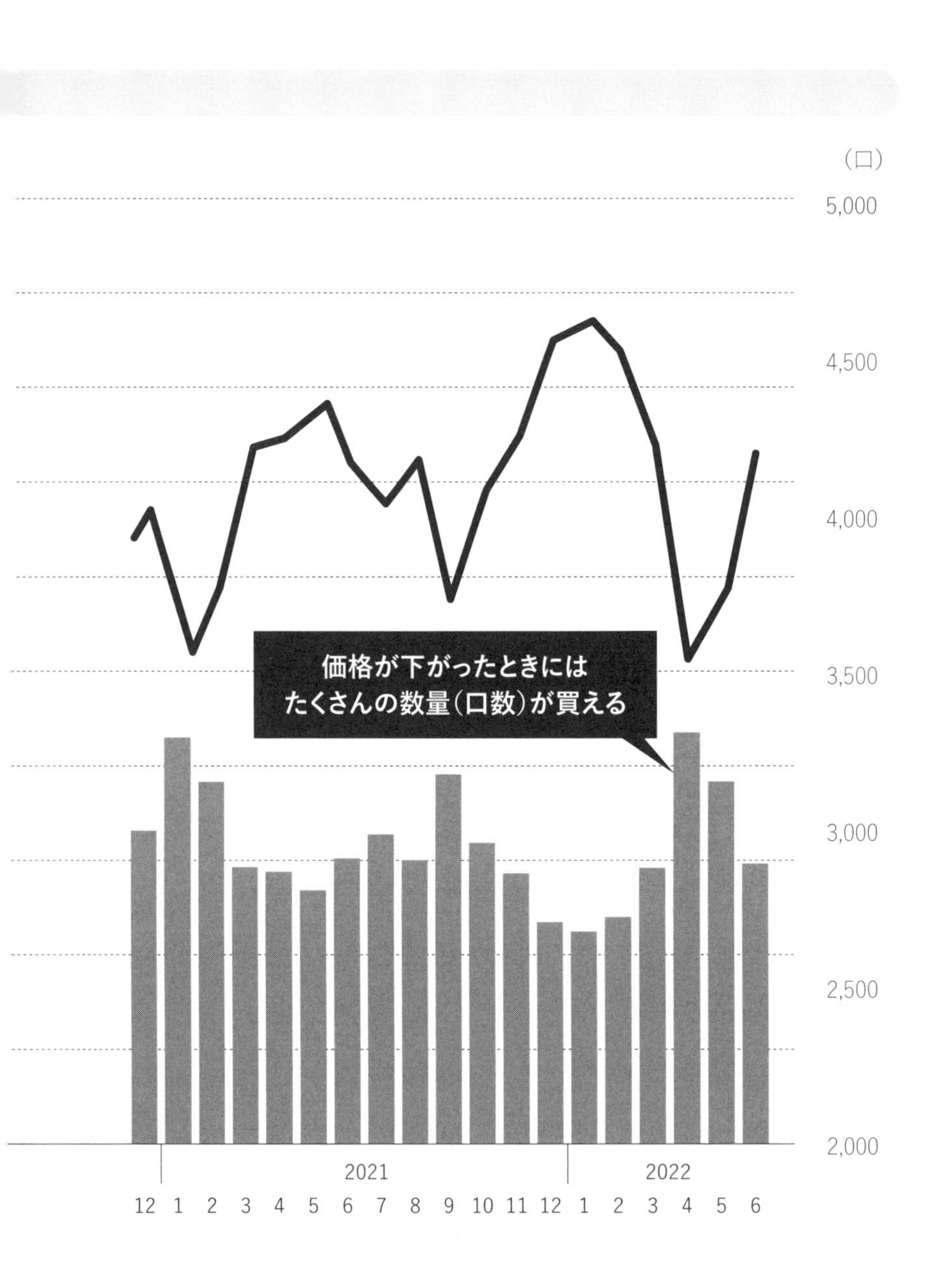
（口）
5,000
4,500
4,000
3,500
3,000
2,500
2,000
価格が下がったときには
たくさんの数量（口数）が買える
2021
2022
12
1
2
3
4
5
6
7
8
9
10
11
12
1
2
3
4
5
6

図表3-7 ｜ ドルコスト平均法による投信の購入例

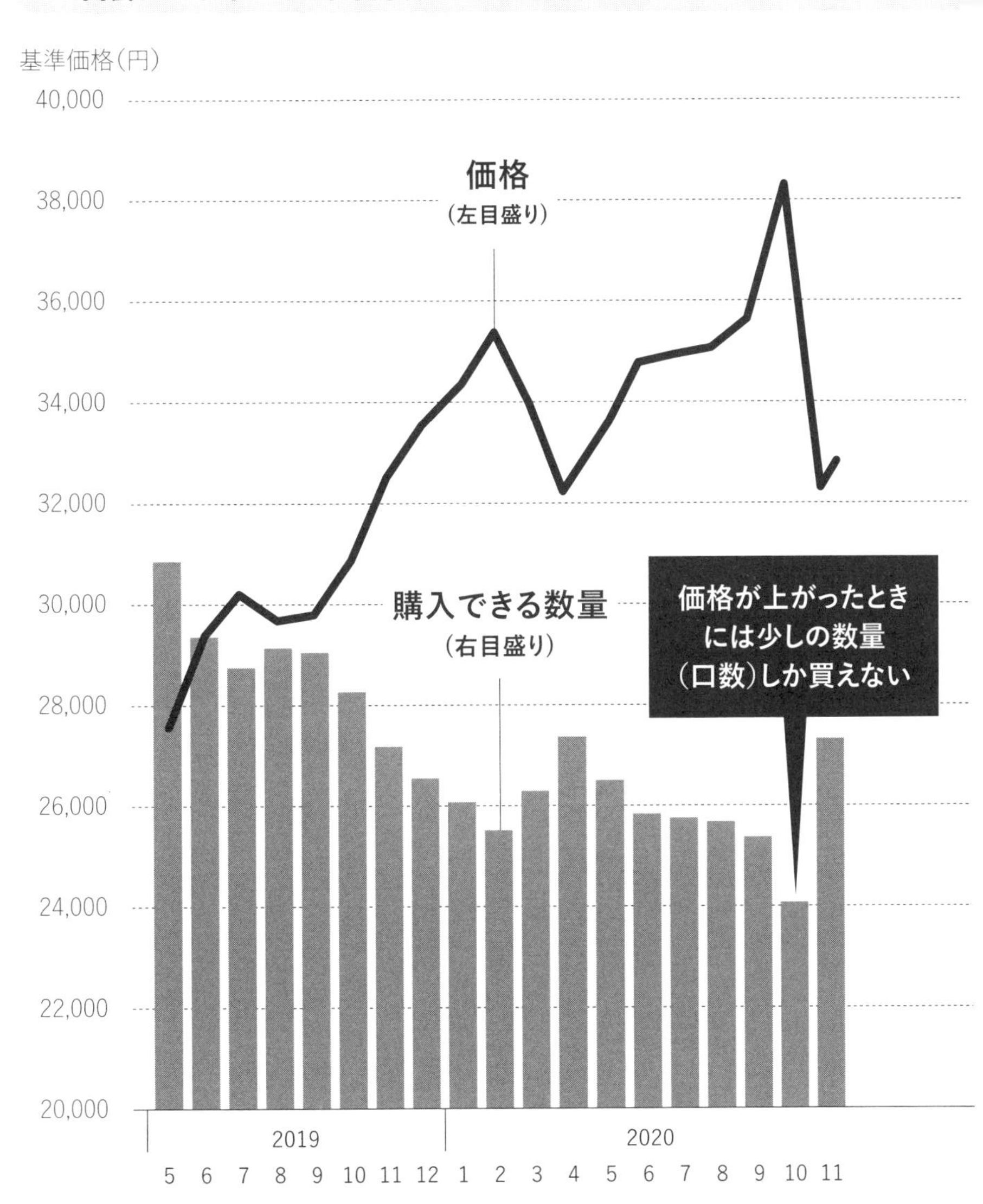

Q.26

▼始める時期

50代ですが、これからNISAを始めても遅くないですか？

積立投資において大事なのは、タイミングではなく、「タイム」です。資産形成の土台づくりとしての投資では、時間を味方につけて、長期でコツコツ元本と運用益を積み上げていくことが大切です。そして、NISAのつみたて投資枠ではそうしたことができるしくみになっています。成長投資枠で積み立て投資をする場合も同様です。

A 遅くはありません。まずは60歳以降に受け取るお金を整理しましょう。

例えば、50歳の方が投資を始めて65歳まで続けるとしても、15年あります。まだまだ遅くはありません。NISAを活用していただきたいのですが、まずは投資を始める前に次のことをやってみてください。

①60歳以降に入ってくるお金を整理する

50代になったら、国から受け取る公的年金、会社から受け取る退職給付（退職一時金や企業年金）などが、いつから、どのように、いくらくらい受け取れるのかを確認しましょう。

50歳以上の人は、毎年、誕生日月に送付される「ねんきん定期便」に将来受け取る年金の見込み額が載っています。また、「ねんきんネット[*4]」に登録すると、過去

66	67	68	69	70	71	72	73

（万円）

78	78	78	78	78	78	78	78
100	100	100	100	100	100	100	100
178	178	178	178	178	178	178	178
151	151	151.3	151.3	151.3	151.3	151.3	151.3

何歳から／どのように受け取る?

上の公的年金とあわせて考えよう!

図表3-8 ｜ 60歳以降に受け取るお金を整理（例）

本人（歳）	60	61	62	63	64	65
給与						
国民年金						78
厚生年金						100
退職一時金						1,000
企業型DC						
NISA						
合計額						1,178
手取り（年）						1,151
支出						
収支						

いつまで働く？

の加入履歴や見込み額を知ることができるので、この機会に登録することをおすすめします。会社から受け取る退職金や企業年金についても調べて、図表3‐8のようにまとめてみるとよいでしょう。その他、iDeCo（個人型確定拠出年金）や個人年金保険など、60歳以降に受け取るものがあれば記入します。

②これからの生活設計を考える

何歳までどういう働き方をしたいと考えているのか、リタイア後はどこで、だれと、どんなふうに暮らしたいと思っているのかをイメージしてみましょう。

また、家計の「見える化」、具体的には毎月かかる生活費などを計算してみる、現時点の資産と負債を確認する、いつ、どんなことにお金を使いたいかなどを書き出してみましょう。

③運用できる期間などを確認する

その上で、どのくらいの期間、運用できそうかを検討します。10年以上運用できるなら、NISAを活用して投資を始めましょう。

もう少し詳しく知りたい方は、私の著書『50歳から始める！ 老後のお金の不安がなくなる本』（日本経済新聞出版）をご覧ください。

＊4 日本年金機構のホームページから登録できます。マイナポータルとも連携しています。

▼現在のＮＩＳＡの利用

Q.27

「2024年から新しいＮＩＳＡが始まるので、現在のつみたてＮＩＳＡや一般ＮＩＳＡを始めないほうがいいですか？」

A つみたてＮＩＳＡは2023年から始めてもＯＫ。一般ＮＩＳＡは検討が必要。

2023年までにつみたてNISAや一般NISAで投資した投信や株式などは、2024年からの新しいNISAの生涯投資枠1800万円には含まれません。別枠とみなされるので、非課税投資枠はその分ふえることになります。

つみたてNISAについては非課税期間が20年と長期に及ぶため、現在つみたてNISAを利用している人は2023年も継続して投信の積み立てを行い、非課税期間中は運用し続ければよいでしょう。同様に、これから投信の積み立てを始めたいと思っている人は、2023年からつみたてNISA口座を開設して積立投資を始めればよいのではないでしょうか。そのまま自動的に新しいNISA口座も開設されます。

一方、一般NISAは、2023年に投資すると非課税で運用できるのは2027年末まで。5年という短い期間なので、投資した商品が値下がりする可能性もあります。これまでは新しい非課税枠（NISA口座）にロールオーバーするという選択肢がありましたが、2024年以降は課税口座に時価で移管する（または売却）しか選択肢がなくなる点は注意が必要です（詳細は第4章2節を参照）。

▼現在の特定口座にある商品

Q.28

今、特定口座にある株や投信を売って、新しいNISA口座で買い直したほうがよいですか？

A 買い直す選択肢もあります。

2024年からの新しいNISAでは、最大で年間360万円（つみたて投資枠120万円＋成長投資枠240万円）まで投資できることになります。ただ、これほどの資金を収入からすべて出せる人はごく一部だと思います。

まず、お手元に預貯金などがあり、NISA口座で新規に投資していける資金が

ある場合には、そのお金をＮＩＳＡ口座での投資資金にあてます（万一に備えるお金や数年後に必ず必要になるお金は残しておいてください）。特定口座で運用している商品はそのまま運用を続けましょう。

一方、収入の一部を投資にあてることを想定すると、多くの人はＮＩＳＡの年間投資枠は埋まらないと思います。その場合、特定口座ですでに保有している商品を売って、その資金をもとに新しいＮＩＳＡで買い直すという選択肢もあるでしょう。この場合、淡々と特定口座内の商品を売却→ＮＩＳＡで買い付けを実行します。

ただし、これから先、10年、20年と長期で運用していけることが前提です。数年後から運用しているお金を取り崩したいという人は無理に売ることは避け、特定口座でそのまま運用を継続しましょう。

Q.29

▼商品の売却タイミング

「保有している商品が2割値上がりしました。売って、利益確定するのはありでしょうか？」

A

今すぐ資金が必要ないのなら、売らずに長期で運用しましょう。

投信の価格は上がったり下がったりするので、値上がりしているときには利益確定しようかと思ってしまいます。値下がりしているときにも、売ってしまいたいと考えてしまうものです。

しかし、投信の解約を考えるタイミングは次の2つのときだけです。

①使う時期が来たとき

投信を購入したら、あとは使う時期が来るまでは運用を続けるのが基本です。運用していれば大きく値上がりする場面もあるでしょう。しかし、短期的に価格が上がったり下がったりしても気にする必要はありません。

むしろ、価格が上昇したからといってちょこちょこ売っていると、お金を大きく育てることができません。いちばんよくないのは、相場が大きく下げたときに動揺して売ってしまうことです。使う時期が来るまで淡々と運用を継続しましょう。

②リバランスをするとき

投資を始める際に、預貯金などの安全資産とリスク資産の割合は決めておきたいところです。当初よりもリスク資産がふえた場合、もともと設定した比率に戻すために、例えば投信を解約するという手もあります。

ただ、「NISA口座で保有している投信は非課税で運用できる」ということを考えると、NISA口座で保有する投信はできるだけ解約したくないものです。リスク資産の割合がとてもふえてしまった場合、積立額を減らすといったことを検討しましょう。

▼保有している商品の整理

Q.30

気づけば同じタイプのインデックスファンドをたくさん持っていて管理が大変です。どうすればいいですか？

A

特定口座で購入していた場合は、集約するのもよいでしょう。

近年、インデックスファンドの運用管理費用（信託報酬）は引き下げが続きまし

た。以前は、すでにあるインデックスファンドの信託報酬は引き下げず、信託報酬の安い投信を新たに設定する会社が多かったこともあり、特定口座で同じ指数に連動するインデックスファンドを何本も保有している投資家さんもいるようです。

今後15年程度運用できるのなら、この機会に古くて信託報酬の高い商品は解約し、新しいNISA口座で低コストのインデックスファンドを購入することを検討してもよいでしょう。〝断捨離〟をして、本数を絞ったシンプルな運用に変えていくのも選択肢の1つです。

NISAの非課税枠拡大を見据え、長期の資産形成に役立つ投信はどのようなものか、改めて検討する機会にしたいですね。

▼長期保有のポイント

Q.31

NISA口座で投信の積み立てをしていますが、すぐに解約したくなります。どのようにすれば長く保有し続けられるでしょうか？

A 自分の投資方針書を作成してみましょう。

NISAは長期の資産形成・活用をうながす制度にもかかわらず、1～2年程度で解約してしまう人も多いようです。NISAは、保有している投信をいつでも一部または全部解約できる、つまりどんな用途にでも使えることが利点です。

ただ、なんの目的もなく、少し値上がりしたからといって解約（利益確定）したり、値下がりしたため怖くなって解約してしまったりを繰り返していては、長期的な資産形成はできません。できるだけ長く保有し、頻繁に解約しないことが大切です。ところが、現実にはこれがなかなか難しいようです。感情が先に立つと、保有する投信の価格が下がると怖くなってしまいます。

では、どうしたらよいのでしょうか。

きちんとルールを決めて、それを淡々と実行するのがいちばんです。例えば、自分なりの「投資方針書」を作成しておき、不安になったときにはそれを読み返すと効果があります。これはアメリカの著名な投資コンサルタントで『敗者のゲーム［原著第8版］』（鹿毛雄二・鹿毛房子訳、日本経済新聞出版）などの著書があるチャールズ・エリス氏や、投資教育家の岡本和久氏などもすすめている方法です。

投資方針書というとなんだか難しそうですが、要は「自分がどういう目的・方針で運用するか」をまとめておくものです。例えば、次のような内容を決めておくとよいでしょう。

〈投資方針書の例〉

○目　　　　的：リタイアまでに老後のお金をつくる
○運用方針：60歳までは積極運用、その後は株式の比率を下げる
○運用方法：投信の積み立て（iDeCoやNISAを優先的に利用する）
○配　　　分：リスク資産と無リスク資産（預金）が半々になるようにする
○商　　　品：積み立てるのはA世界株インデックスファンドとB投信。
　　　　　　それとは別に、課税口座で個人向け国債を保有する
○チェック方法：年に一度、年末に配分と時価評価額をチェックする
○そ　の　他：万一に備えるお金として、生活費の半年分は預金に置いておく

これはあくまでも一例なので、自分のまとめやすい方法で書いておきましょう。投資を始めてから、必要な項目を付け加えたり、見直したりしてもかまいません。結婚などを機に、再度、投資方針書を練り直したという投資家の方もいます。メモ程度でもよいので、ぜひトライしてみてください。

Q.32

親がＮＩＳＡ口座で株式に投資しています。もし相続することになったら、私のＮＩＳＡ口座に入れられますか？

Ａ ＮＩＳＡ口座で引き継ぐことはできません。

ＮＩＳＡ口座を開設している方が亡くなった場合、ＮＩＳＡ口座内の株式や投信などを相続人のＮＩＳＡ口座に移すことはできません。ＮＩＳＡ口座内の株式などを相続によって取得する場合、相続人の課税口座（特定口座など）に受け入れることになります。

特定口座へ移管するには、金融機関に「相続上場株式等移管依頼書」を提出して移管の依頼をしてください（具体的な手続きは金融機関に確認しながら行ってください）。このとき、被相続人のＮＩＳＡ口座と相続人の特定口座は、同じ金融機関でないといけません。

受け入れる株式等の取得日は相続発生日となり、取得価額は相続発生日の時価となります。亡くなった方がＮＩＳＡ口座内で購入した株式などの取得価額と相続発生日の時価との差額については、非課税になります。ただし、亡くなった日以降の配当金や分配金は非課税にならないため、課税されます。

Column

NISAとiDeCo（個人型確定拠出年金）はどう使い分ける？

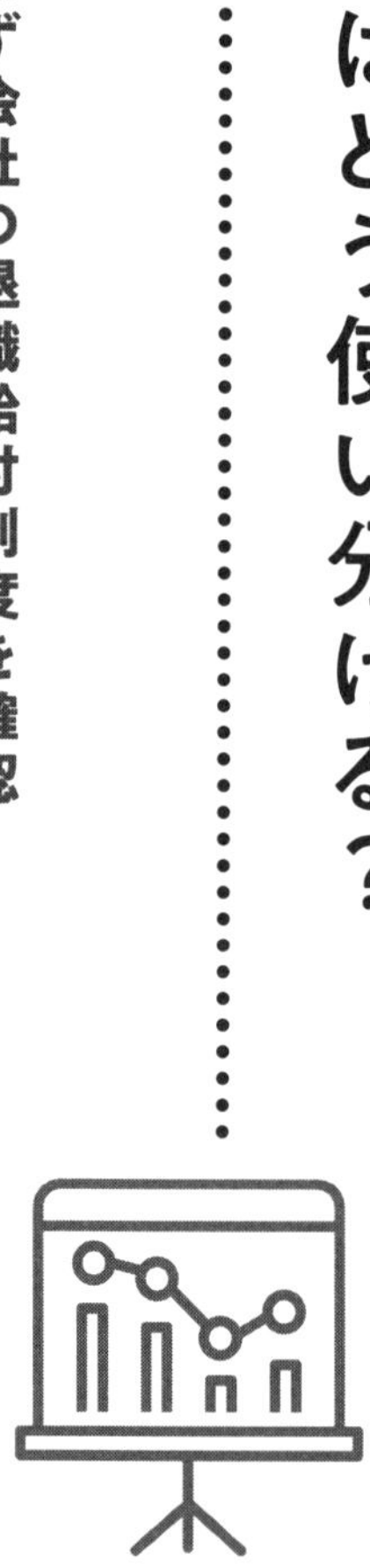

◆まず会社の退職給付制度を確認

「NISAとiDeCo、どう使い分けたらよいのか」、という質問をよく受けます。ここでは考えるポイントについてみていきましょう。

まず、会社員の方は勤務先の退職給付制度を確認してください。退職給付制度の1つとして企業型確定拠出年金（以下、企業型DC）が導入されている場合には、まずその運用をしっかりと行いましょう。会社が掛金を出してくれ、口座管理手数料も会社持ちだからです（ただし、自分のお給料の一部を切り出して掛金にあてる「選択制ＤＣ」だと、給料が減って支払う社会保険料が減る代わり、将来受け取る厚生年金や障害年金、病気やケガで休むときに受け取れる傷病手当金などが減るため、選択制の場合には加入は慎重に考えましょう。その場合はｉＤｅＣｏに加入する選択肢もあります）。

◆ＮＩＳＡとｉＤｅＣｏの違い

ＮＩＳＡとｉＤｅＣｏの違いを図表３－９にまとめました。

ＮＩＳＡは投資を通じた資産形成を支援する制度です。運用している投信や株式などはいつでも解約できるので、日本に住む18歳以上の人ならだれでも、どんな用途にも利用できます。ですから、超長期で積み立てを続けて老後資金に使っ

Column

たり、利益が出ているときに教育費や住宅の頭金の一部に使ったり、柔軟に利用しやすいのが特徴です。2024年から年間投資額の上限や生涯投資枠が拡大

	確定拠出年金	
	企業型DC	iDeCo
	70歳未満の厚生年金加入者	65歳未満の国民年金加入者
	会社・個人で異なる	月額5,000円以上
	月間5万5,000円（会社・個人で異なる）	属性・個人で異なる（月間5,000円～6万8,000円）
	定期預金、保険、投資信託	
	非課税（掛金が所得控除の対象）	
	非課税(*1)	
	課税（退職所得控除や公的年金等控除が適用）	
	70歳になるまで（厚生年金に加入・会社次第）	65歳になるまで（国民年金に加入が条件）
	原則60歳以上	
	75歳になるまで	
	企業負担	個人負担（年間2,000円程度～）

*1　積立金の全額に1.173%が課税される特別法人税が凍結中。

図表3-9 ｜ NISAと確定拠出年金の違い

		NISA	
		つみたて投資枠	成長投資枠
対象者		日本に住む、18歳以上の人	
最低積立額		金融機関によって異なる	
投資上限額		年間120万円	年間240万円
		（合計年間360万円）	
対象商品		一定の条件を満たす投信・ETF	上場株式やETF、REITなど
税優遇	購入／拠出時	―	
	運用時	非課税	
	給付時	―	
新規に投資できる期間		恒久化（生涯投資枠1,800万円）	
引き出し		いつでもできる	
非課税で運用できる期間		無期限	
口座管理手数料		なし	

し、売却後の非課税枠の再利用も可能になることで、老後資金の準備にも十分利用できるようになります。ただし、投資ですから、数年後に必要な資金の準備には向きません。

一方iDeCoは、公的年金や企業の退職給付制度に上乗せして、自分で老後資金をつくっていく制度です。65歳未満で国民年金に加入している人が対象です（会社員・公務員は厚生年金に加入しているので、自動的に国民年金にも加入しています）。掛金の上限は、会社員か自営業か、会社員でも勤め先の企業年金の有無や種類、会社の企業型DCの拠出額などによって異なります。対象商品は定期預金、保険、投資信託です。商品の預け替えはできますが、原則60歳まで現金を引き出すことができません。

◆企業年金のない会社員や自営業はiDeCoを活用しよう

さて、使い分けですが、余裕があれば、両方活用することをおすすめします。まずはどちらか1つを使う場合には、目的や属性によって優先度が異なります。

原則60歳までお金を引き出せないiDeCoは「老後資産をつくる」という目的がはっきりしています。退職給付が手厚くない（企業年金が導入されていない、退職一時金が少ない）会社にお勤めの会社員や、公的年金が国民年金のみ（40年加入して受取額は年間約78万円程度）で退職金がない自営業・フリーランスの方などは優先的に活用してほしいと思います。自営業の方は付加年金と小規模企業共済もあわせて活用しましょう。

iDeCoよりもNISAを優先したほうがよいのはどのような場合でしょうか。そもそも所得がない人はNISAを優先的に使いましょう。iDeCoのメリットである所得控除の恩恵がない上、口座管理手数料が最低でも年間2000円程度かかります。

Column

また、退職一時金や企業年金の受取額が多い恵まれた人も、ＮＩＳＡを優先してもよいかもしれません。ｉＤｅＣｏは掛金を払う際や、運用している間は非課税ですが、受取時は原則課税です（図表３－９）。そのため、退職一時金や企業年金のある会社員や公務員の方（特に金額の多い方）は最終的に積み上げてきた資産をどう受け取るか、退職一時金やほかの企業年金などを受け取る順番や受け取り方などをよくよく検討する必要があるからです。両制度のメリットとデメリットを十分に理解した上で、優先順位と活用法を検討することが大切です。

なお、ｉＤｅＣｏの運用資産の受け取り方についての詳細は、著書『［改訂新版］一番やさしい！一番くわしい！個人型確定拠出年金ｉＤｅＣｏ活用入門』（ダイヤモンド社）をご覧ください。

第4章

どうなる?
これまでのNISA

1 現行の3つのNISAのこれから

2024年から新しいNISAがスタートしますが、すでにつみたてNISAや一般NISA、そして、ジュニアNISAを利用しているという方もいるでしょう。

第4章では、2023年までにこれら3つのNISAを利用していた人が2024年以降どうなるのか、どのような対応をしたらよいのか、についてみていきます。

◆現行制度利用者はそのまま新しいNISA口座が設定される

新しいNISA制度が2024年からスタートするため、つみたてNISA口座、一般

NISA口座で新規に商品を購入できるのは2023年12月まで。2024年1月からは18歳以上の人は新しいNISAを利用することになります。その後は非課税期間が終了するまで（つみたてNISAは20年、一般NISAは5年）、そのまま非課税で運用し続けることができます。もちろん、途中で売ることもできます。残念ながら18歳未満の未成年者は、新しいNISAは利用できません。

すでにつみたてNISAまたは一般NISAの口座を開設している人は、そのまま2024年から同じ金融機関で「新しいNISA」口座が設定されてそのまま利用できます。金融機関の変更も可能ですが、手続きが必要です（第3章Q8参照）。

新しいNISAは新旧分離がキーワード。その際、押さえておきたいポイントは2つあります。

◆生涯投資枠とは〝別枠〟で非課税運用を継続できる

1つ目は生涯投資枠（生涯で投資できる額の累計）のことです。第1章で説明したように、2024年から始まる新しいNISA制度では、投資可能期間が恒久化され、非課税保有期間も

図表4-1｜生涯投資枠のカウントは2024年から

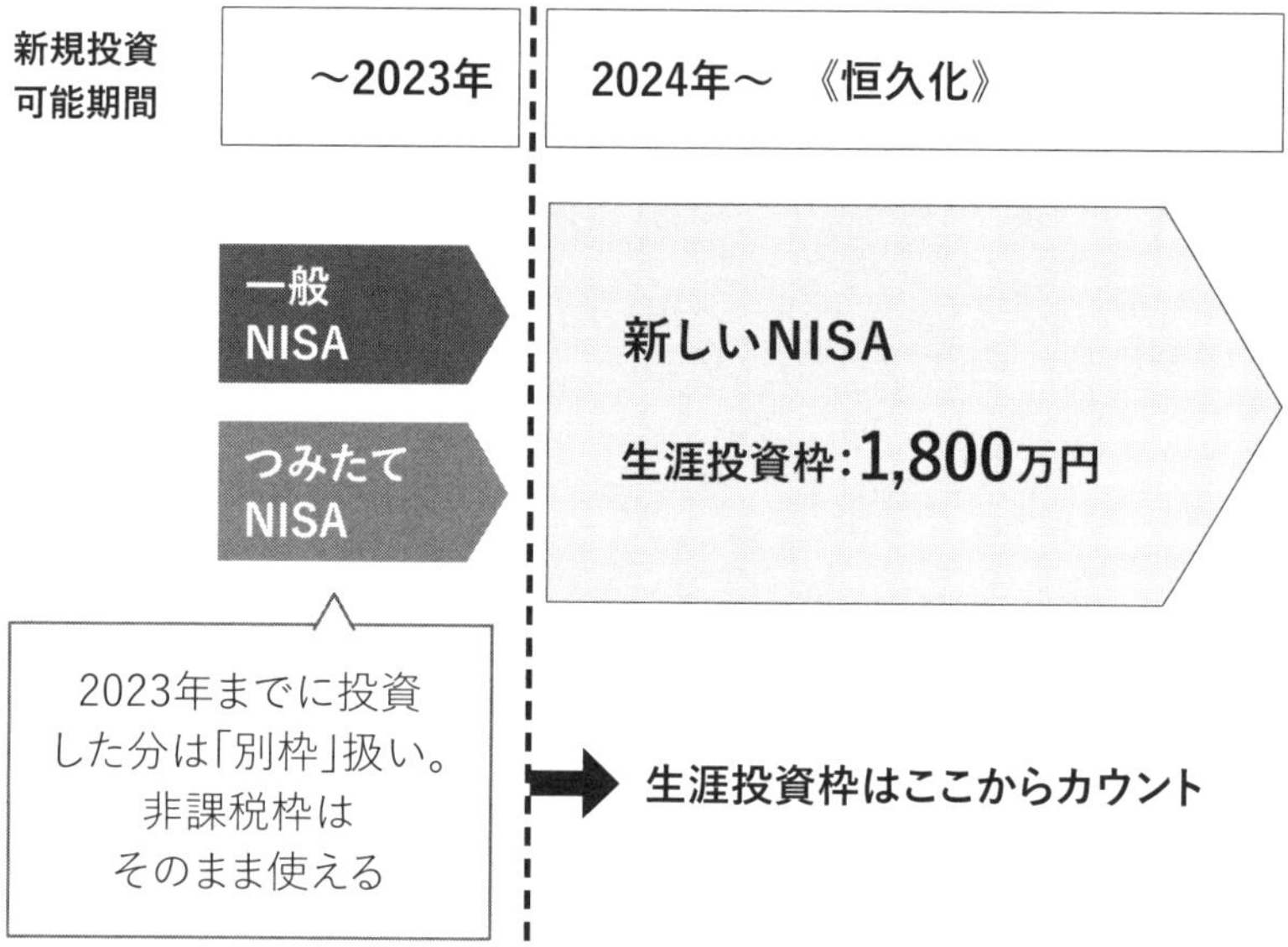

新規投資
可能期間

～2023年

2024年～　《恒久化》

一般
NISA

つみたて
NISA

新しいNISA

生涯投資枠：1,800万円

2023年までに投資
した分は「別枠」扱い。
非課税枠は
そのまま使える

生涯投資枠はここからカウント

無期限となりますが、その代わり生涯投資枠を１８００万円と定めています。

この生涯投資枠１８００万円は２０２４年からスタートする新しいＮＩＳＡで投資した分からカウントされるため、２０２３年までにつみたてＮＩＳＡや一般ＮＩＳＡで投資した金額は含まれません（図表４－１）。生涯投資枠１８００万円とは〝別枠〟とみなされます。２０２４年からＮＩＳＡを始める人に比べて非課税枠を多く使える、というわけです。

ですから、あわててつみたて

NISAや一般NISA口座で保有する商品を売る必要はなく、非課税で運用できる間（つみたてNISA20年、一般NISA5年）はそのまま運用を継続すればよいでしょう。

◆新しいNISAには移管できない

2つ目は、非課税期間が終わったときの対応です。2024年からスタートする新しいNISA制度は、新旧分離、つまり2023年までのNISAとは別のものとしてスタートします。そのため、これまでNISA口座（つみたてNISA・一般NISA）で購入してきた商品を、新しいNISAに移す（ロールオーバー）ことはできません。

つみたてNISAにはもともとロールオーバーのしくみはありませんが、一般NISAについても、2023年末に非課税期間5年が終了するものから、順次、課税口座に時価で移管されることになります（図表4-2）。なお、これまでどおり、必要に応じて売却するという選択肢もあります。

それでは、制度ごとにもう少し詳しくみていきましょう。

図表4-2 | 一般NISAから新しいNISAにロールオーバー不可

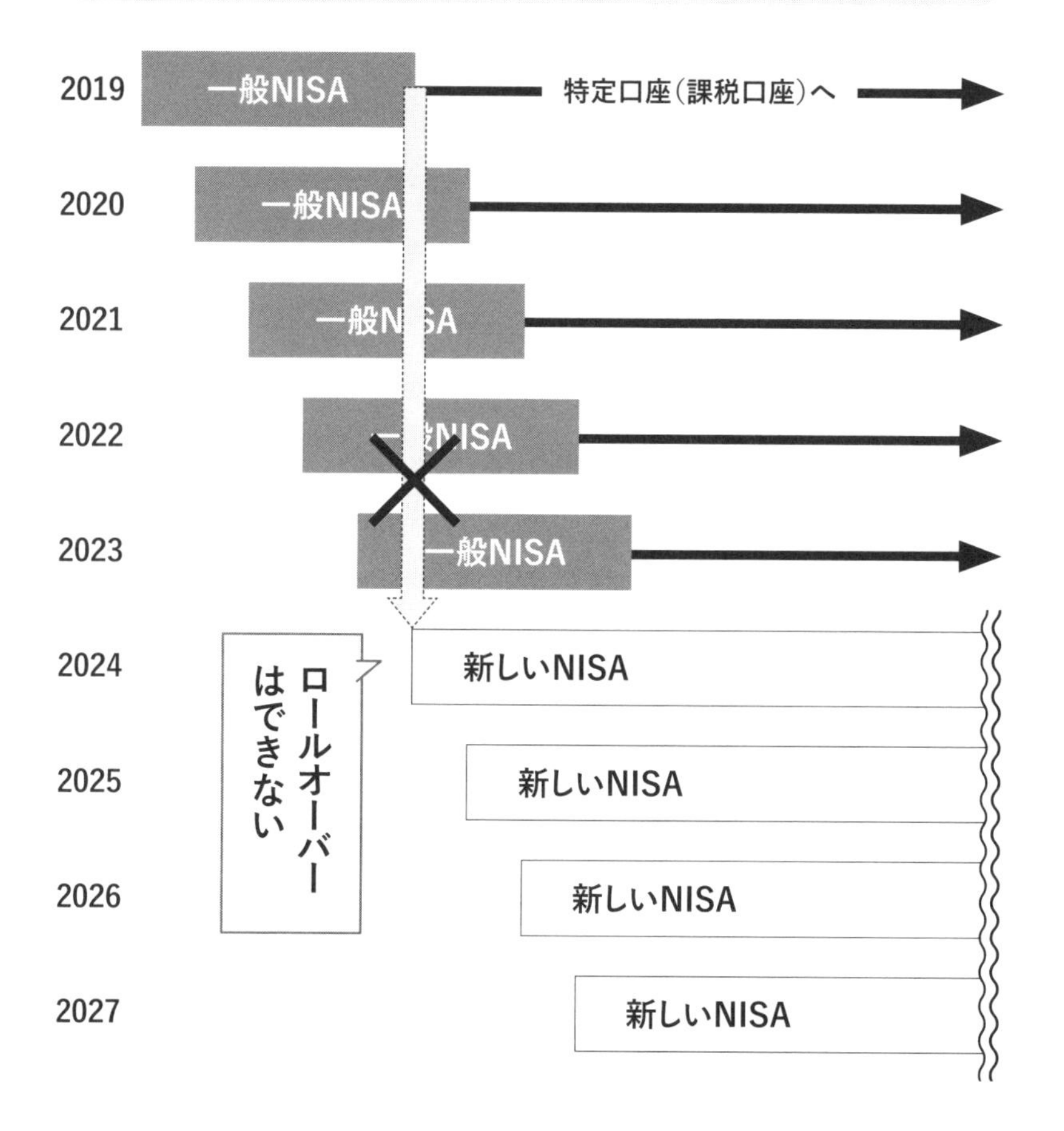

2018年以降に一般NISA口座で投資した商品は、
新しいNISAにはロールオーバーできず、非課税期間5年が終わると、
課税口座に時価で移管されます。途中売却も可。

2 つみたてNISA、一般NISAの利用者はどうすればいいか

◆つみたてNISAを利用している場合

前述のとおり、つみたてNISA口座で新規に投資信託の積立投資ができるのは2023年までです。つみたてNISAには、もともとロールオーバーという概念がありません。非課税期間20年が経過したところで、保有する投信はそのときの「時価」で課税口座に移管されます。

例えば、2018年につみたてNISA口座で投信の積み立てをしていた場合、2037年末まではそのまま非課税で運用を継続できます。そして、時価で課税口座（主に特定口座）に払い出され、2038年以降は課税口座で運用していきます。その後も、順次、課税口座に移管され

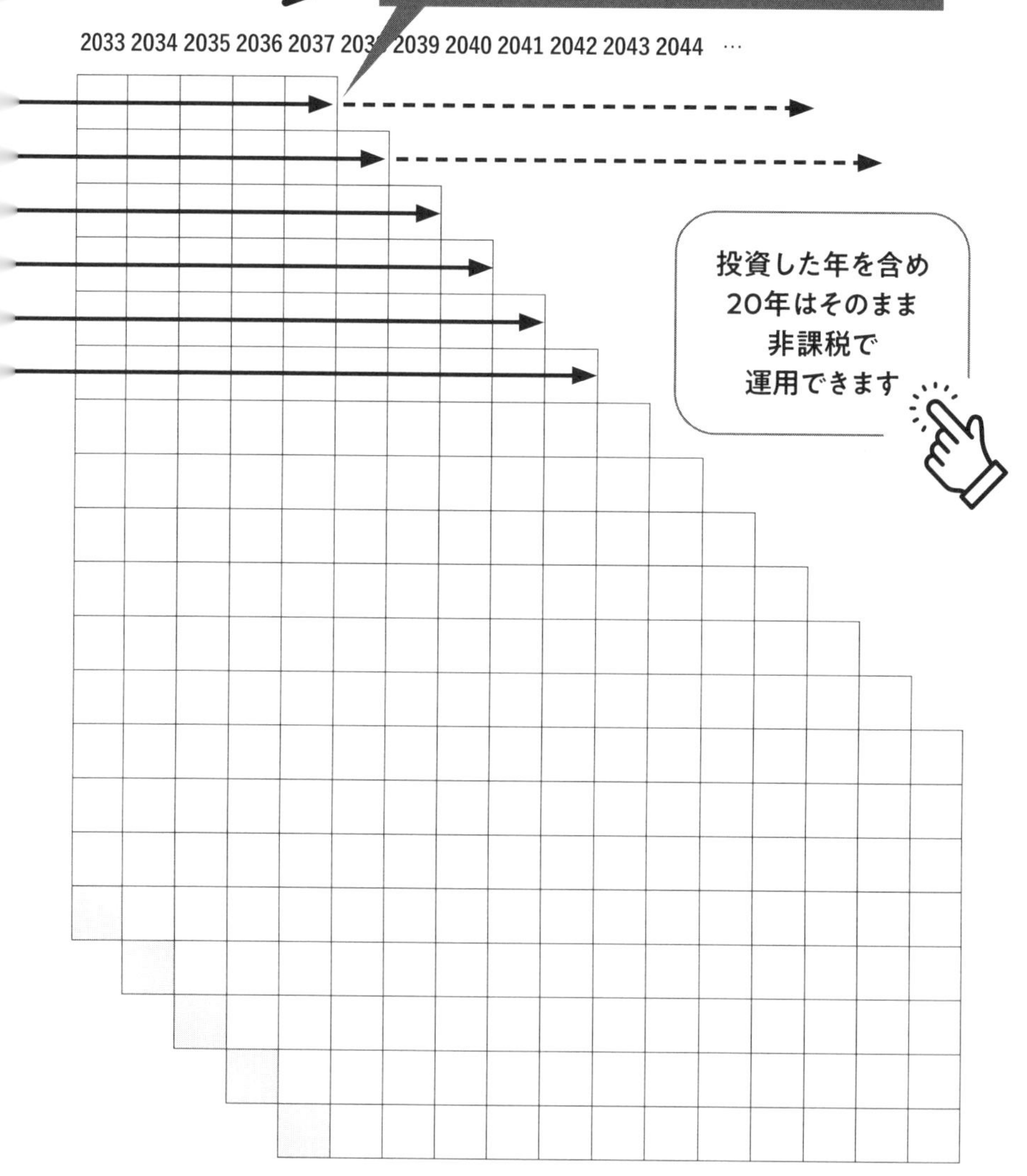
課税口座(特定口座)に時価で移管
2033 2034 2035 2036 2037 2038 2039 2040 2041 2042 2043 2044 …
投資した年を含め
20年はそのまま
非課税で
運用できます

図表4-3 ｜ つみたてNISAの非課税期間は20年

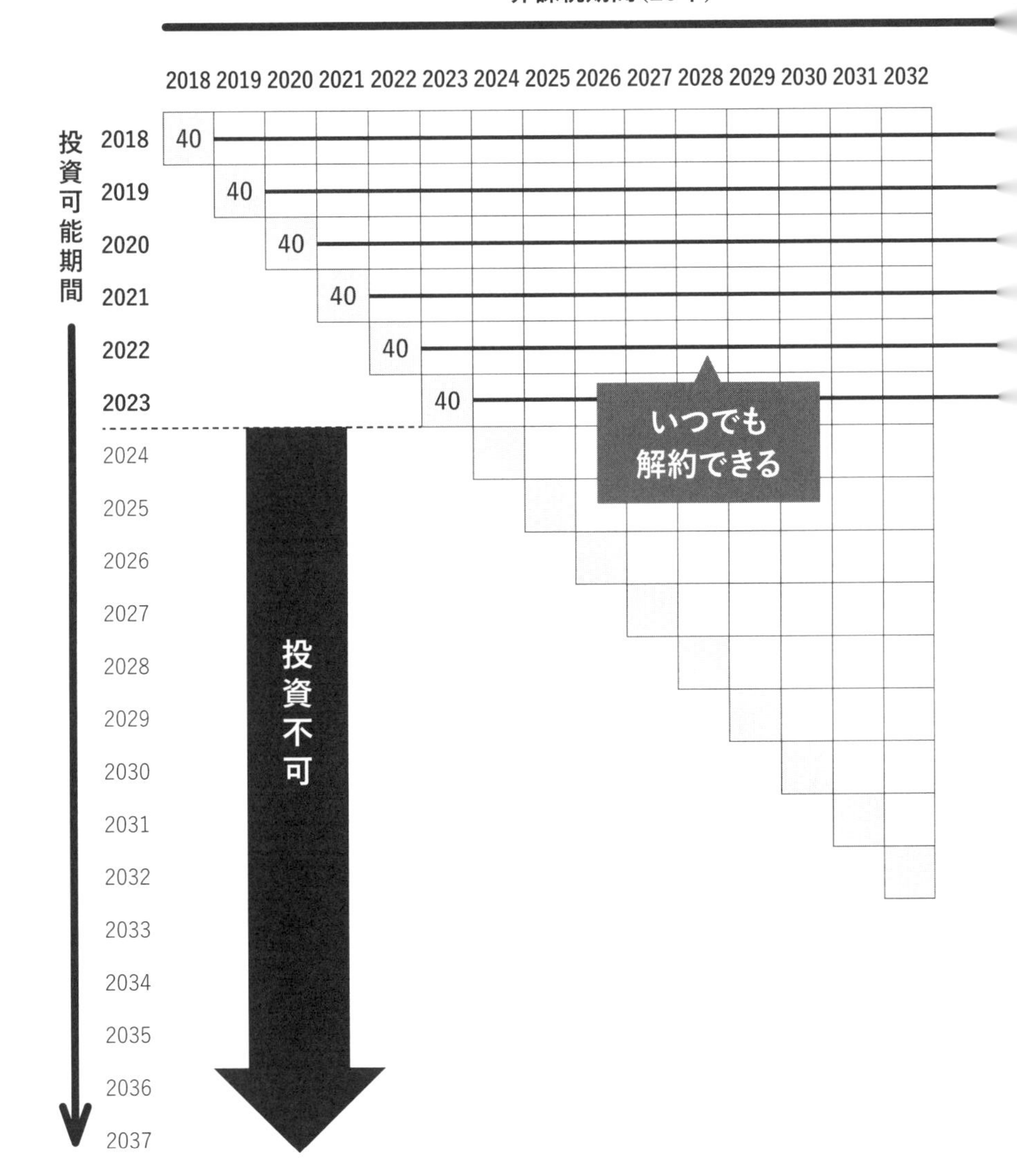

ていきます（図表４－３）。

投資した年を含む20年で非課税での運用は終了となり、20年を超えると特定口座などの課税口座に「時価」で払い出され、その後は普通分配金や解約して利益が出たときには約20％の税金が差し引かれるわけです。

仮に２０１８年に上限額40万円の積立投資を行い、２０３７年末に60万円になっていたとします。その場合、課税口座での新たな取得価格は60万円になりますから、60万円を超えた分に対してしか課税されません（40万円から60万円にふえたということは、通常は20万円に対して課税されますが、この分は非課税になるということです）。

つみたてＮＩＳＡの場合、非課税で運用できる期間が20年あります。２０２４年以降は新規投資ができなくなりますが、これまで投信を積み立ててきた分についてはゆったりと長期投資を続けていくことをおすすめします。そして、お金が必要になったときに解約を行う、というスタンスでよいのではないでしょうか。

◆一般NISAを利用している場合

2023年まで利用できる一般NISA口座では、上場株式や株式投資信託などを購入すると、配当金や普通分配金に対して税金がかからず、売却したときの譲渡益も非課税になります。投資できる枠（金額）は年間120万円までで、非課税運用できる期間は投資した年を含めて「最長5年」です。

従来は5年の非課税期間終了時には、何も手続きをしないと、①時価で課税口座（特定口座）に払い出されますが、所定の手続きを行い、②新たな一般NISAの投資枠にロールオーバーした場合は、さらに5年非課税で運用を続けることも可能でした。

ところが、前述のように、2024年にスタートする新しいNISAにはロールオーバーすることができません。2019年以降に一般NISA口座で購入した商品については、非課税期間が終了すると自動的に課税口座に時価で払い出されることになります（図表4－4）。この場合、移管された株式や投信の取得価格は移管されたときの価格となります。課税口座に移管後、受け取る譲渡益や配当金は課税の対象です。

なお、従来どおり、いつでも売ることは可能です。

・値下がりした場合、税金を多く払う可能性も

一般ＮＩＳＡの場合、非課税期間が５年という短い期間なので、値動きの大きい株式やＥＴＦ、投信などに投資していると、値下がりしたまま非課税期間が終わることもありえます。これまでは新しい非課税枠（ＮＩＳＡ口座）にロールオーバーするという選択肢もあったからよいのですが、２０２４年以降は課税口座に払い出す（または売却）しか選択肢がなくなる点は注意が必要です。

というのも、非課税期間終了時に保有資産が値下がりしているときに課税口座に時価で払い出

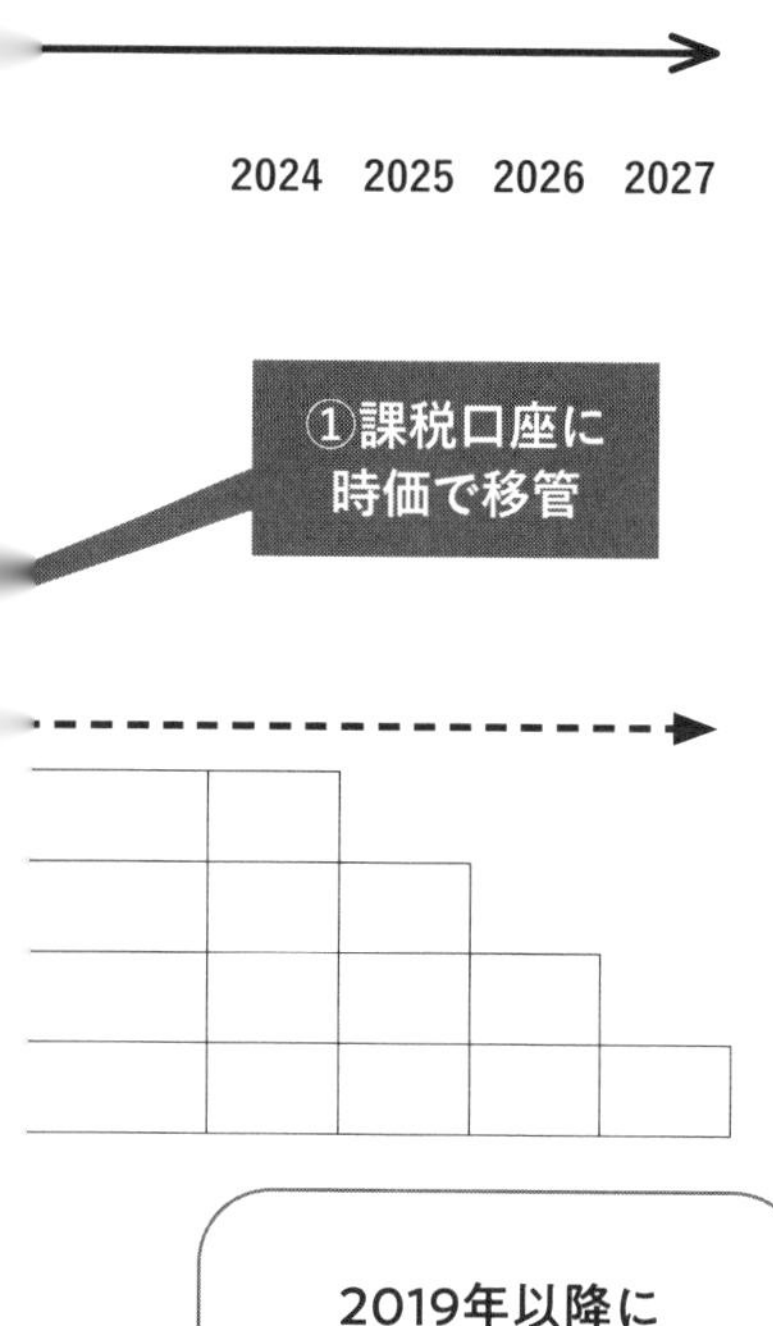

2019年以降に
一般NISAで
投資した分は
①課税口座に移管か
②売る
のいずれかになります。
2024年からの
新しいNISAには
移管できません

図表4-4 ｜ 一般NISAは新しいNISAには移管できない

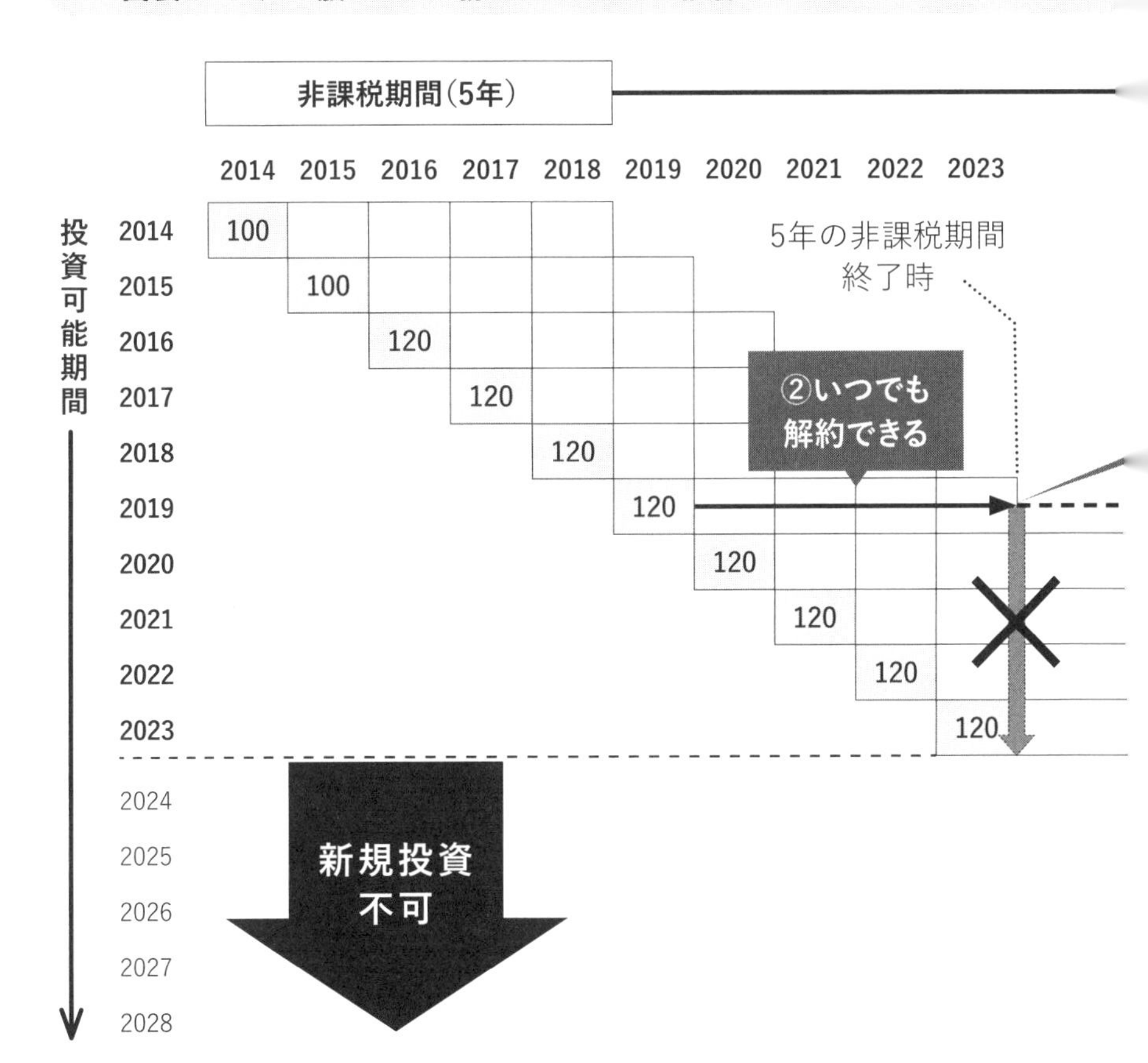

図表4-5 ｜ 非課税期間終了時に値下がりしていた場合

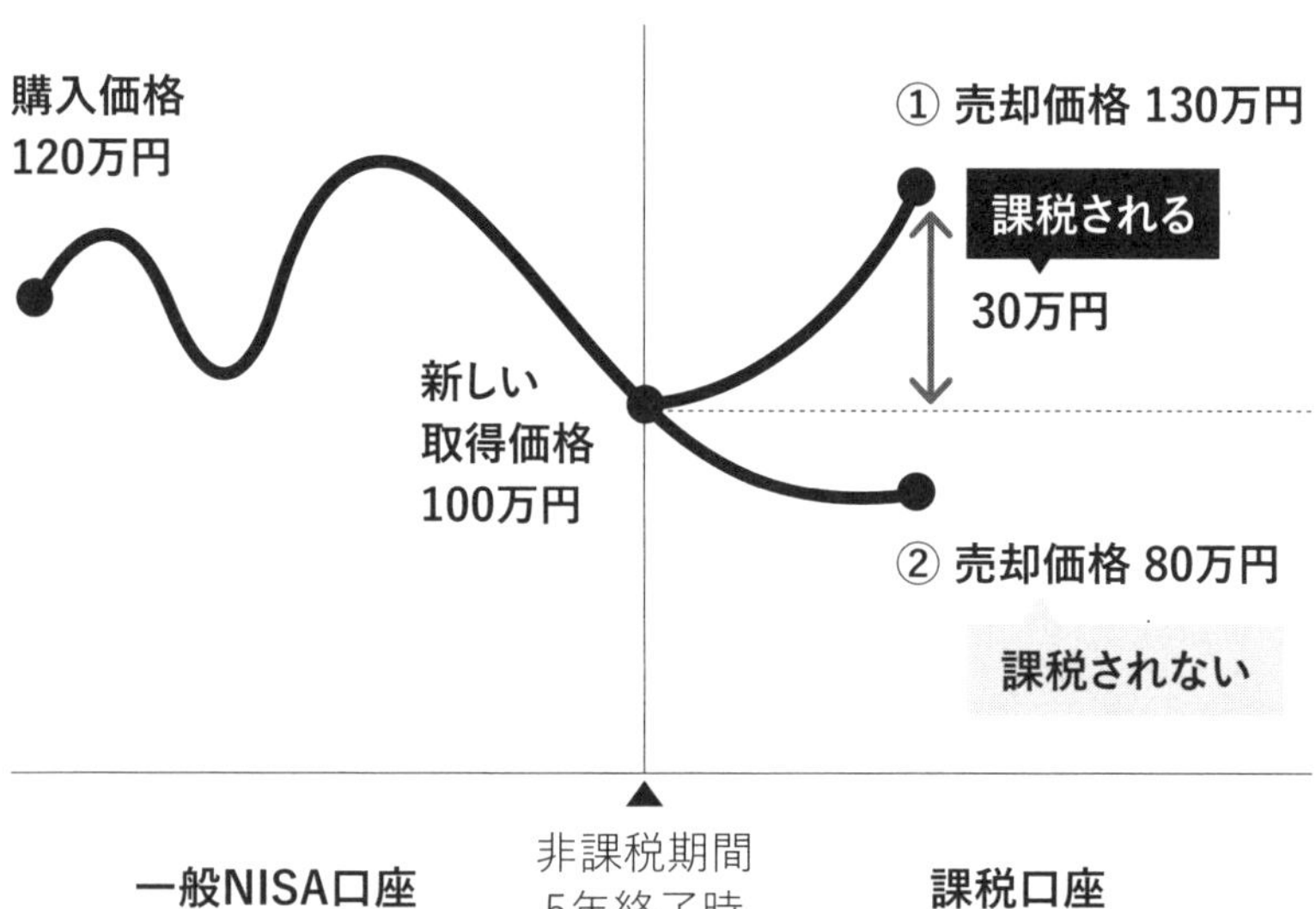

された場合、その後価格が回復すると、最初からNISA口座を使わずに特定口座（課税口座）で投資していた場合に比べて税金を多く支払うことになる可能性があるからです。

図表4-5をご覧ください。例えば、一般NISA口座で株式を120万円で購入し、5年の非課税期間終了時に100万円に値下がりしていたとします。この時点で一般NISA口座から課税口座に移管されると、課税口座での取得価格は100万円に変更されます。

その後、仮に①100万円から130万円に値上がりし売却した場合は、利益の30万円（130万円-100万円）に対して課税され、約6万円の税金を払うことになります。

では、最初から特定口座（課税口座）において120万円で購入し、130万円で売却した場合はどうなるのでしょうか。この場合、10万円（130万円－120万円）の利益に課税されるため、支払う税金は約2万円です。一般NISA口座から課税口座に移管した①のケースよりも支払う税金は少なくなります。

②100万円から80万円に値下がりし売却した場合は利益がないので税金はかかりませんが、さらに下落していますから投資してよかったとは思えないのではないでしょうか。

2019年以降に一般NISA口座で商品を保有している場合には、こうした点も考慮する必要があります。

利益が出ているときに、

・（非課税期間終了前でも）課税口座に払い出す
・売却して非課税の恩恵を受け、その資金を2024年以降のNISAの投資にあてる

など、この後の方針については考えておきましょう。NISAは本来長期の資産形成をうながす制度ではありますが、一般NISAはそもそも非課税期間が短く長期投資には適さない設計であり、さらに2024年以降はロールオーバーできなくなることを考えると、出口を考えておくことが必要です。

3 廃止されるジュニアNISAはどうなるか

◆ジュニアNISAのしくみ

まず、ジュニアNISAのしくみについておさらいです。制度を利用できるのは日本に住む、1月1日時点で18歳未満の未成年者です。ジュニアNISA口座で購入できるのは一般NISA口座で購入できるものと同じです。上場株式や株式投資信託、ETF、REITなど。非課税で投資できる枠は年間80万円までで、非課税期間は最長5年。その間にジュニアNISA口座で購入した上場株式や投資信託の配当金や普通分配金に対して税金がかからず、売却したときの譲渡益も非課税になります。

ジュニアＮＩＳＡを利用する場合、３つの口座が開設されます（図表４－６）。まずは、ジュニアＮＩＳＡ口座内に①非課税口座と②課税ジュニア口座（払い出し制限付き課税口座）が開設されます。

①非課税口座の「非課税管理勘定」は上場株式や投資信託などを購入し、非課税で運用していくための口座です。もう１つ、ロールオーバー専用の「継続管理勘定」がありますが、これは２０２４年以降に新規投資ができないためロールオーバー専用に設けられた非課税枠のことです。

②課税ジュニア口座（払い出し制限付き課税口座）は、①非課税口座で保有する上場株式等を売却したお金や配当金・分配金、私たち投資家が購入用として入金したお金（預かり金）などを管理するための口座です。さらに、ジュニアＮＩＳＡ口座とは別に、③未成年総合口座（課税口座）が開設されています。

・新規に投資できるのは２０２３年まで

ジュニアＮＩＳＡは２０２３年に廃止が決まっています。そのため、新規に投資できるのは２０２３年まで。２０２４年以降はジュニアＮＩＳＡの①非課税口座では新たな投資ができなくなります。

株や投信を購入できる
金融機関も

③未成年総合口座（課税口座）

・特定口座（源泉徴収あり・なし）
・一般口座

・2024年からはいつでも引き出し可能に

廃止にともない、2024年1月以降は払い出し制限[*1]が解除されます。そのため、ジュニアNISA口座（図表4-6の①非課税口座と②課税ジュニア口座）で保有する株式や投信などについては「いつでも」売却して引き出せるようになります。

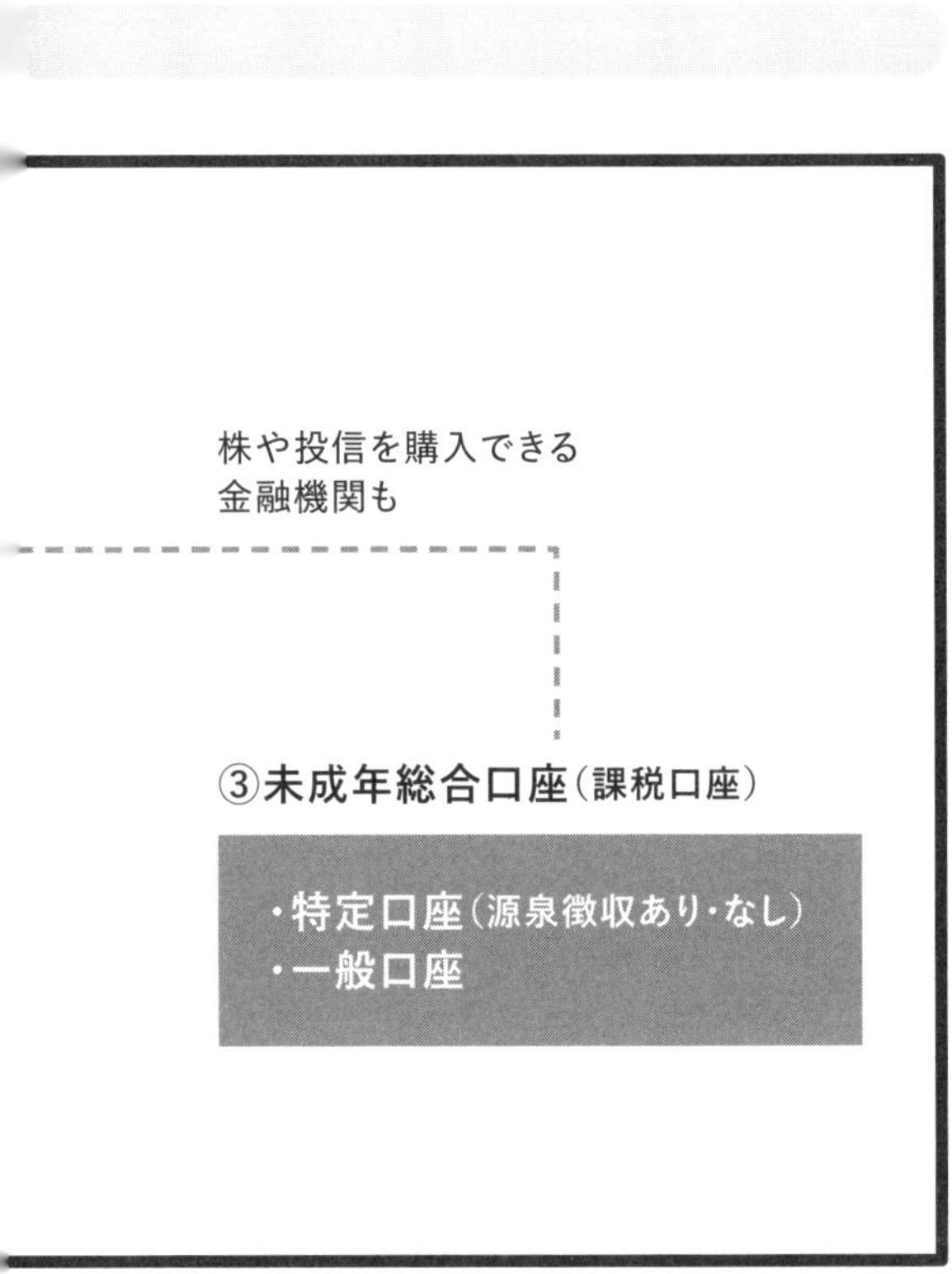

ただし、引き出す場合には、ジュニアNISA口座で保有している商品はすべて払い出す必要があり、払い出したあと口座は廃止されます。ですから、一部を売却して引き出したり、そのつど、株式の配当金を受け取ったりすることはできませ

図表4-6 ｜ ジュニアNISAには3つの口座がある

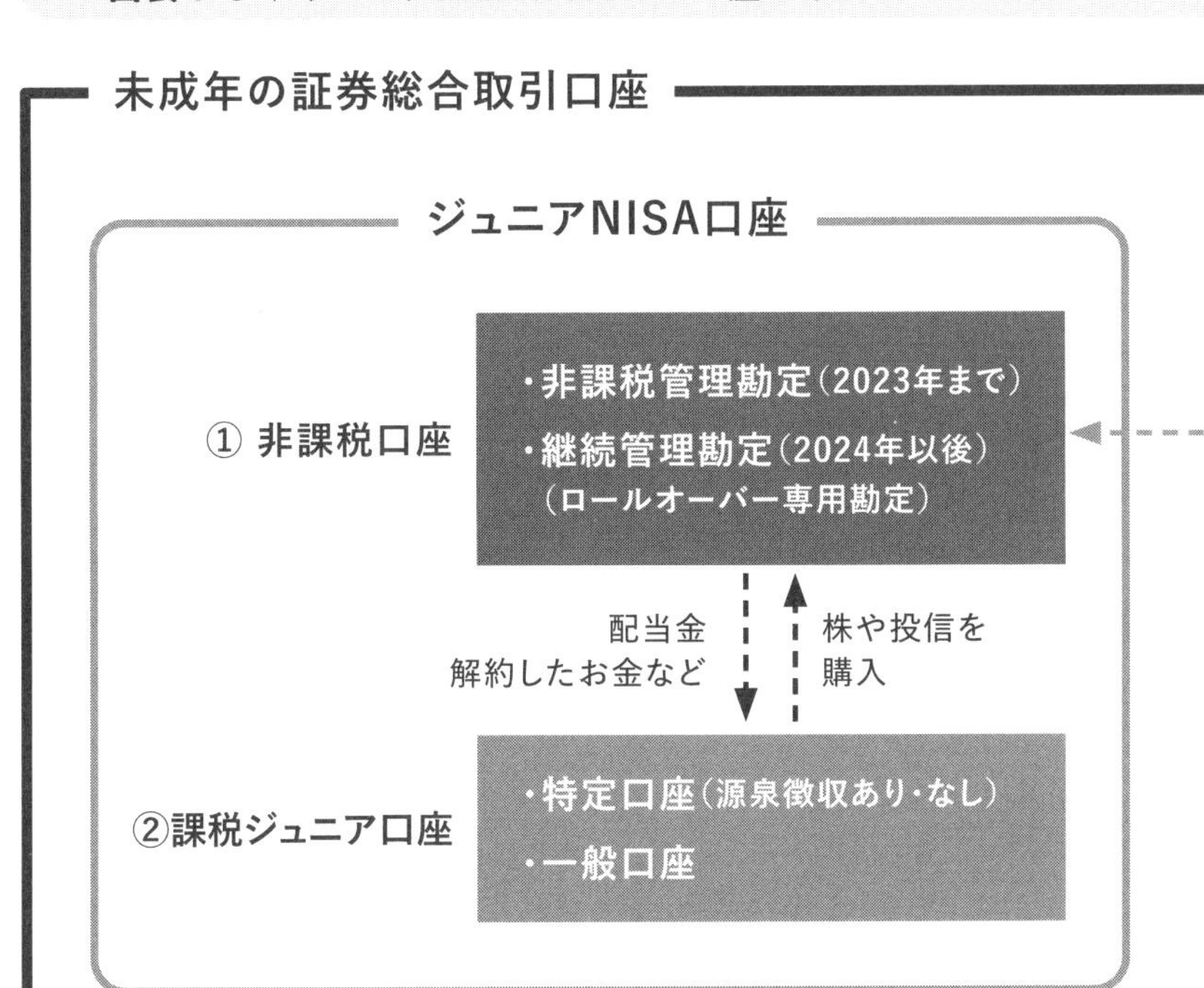

ん。個別株の配当金やETF、投信の分配金については、従来どおり②課税ジュニア口座（払い出し制限付き課税口座）に入ってプールされ、ジュニアNISA口座を廃止して引き出す段階でいっしょに受け取るかたちになります。

＊1 2023年までは払い出し制限があり、災害時などの例外を除き、3月31日時点で18歳である年の前年12月31日までは払い出しは原則不可。引き出す場合は課税されます。

・ロールオーバーの手続きが不要に！

2023年までに投資した分については、そのまま成人（1月1日時点で18歳）になるまで非課税で運用し続けることも可能です。

ただ、ジュニアNISAの非課税期間は一般NISAと同様、5年です。そのため、従来はジュニアNISA口座内の①非課税口座で5年を超えて非課税で運用し続けるには、非課税期間終了時に自分で新たなジュニアNISAの非課税枠（①非課税口座＝2024年以降は継続管理勘定）に移すロールオーバーの手続きを行う必要がありました。そのため、5年の非課税期間が終わるときにロールオーバーの手続きを忘れると、②課税ジュニア口座に時価で払い出されてし

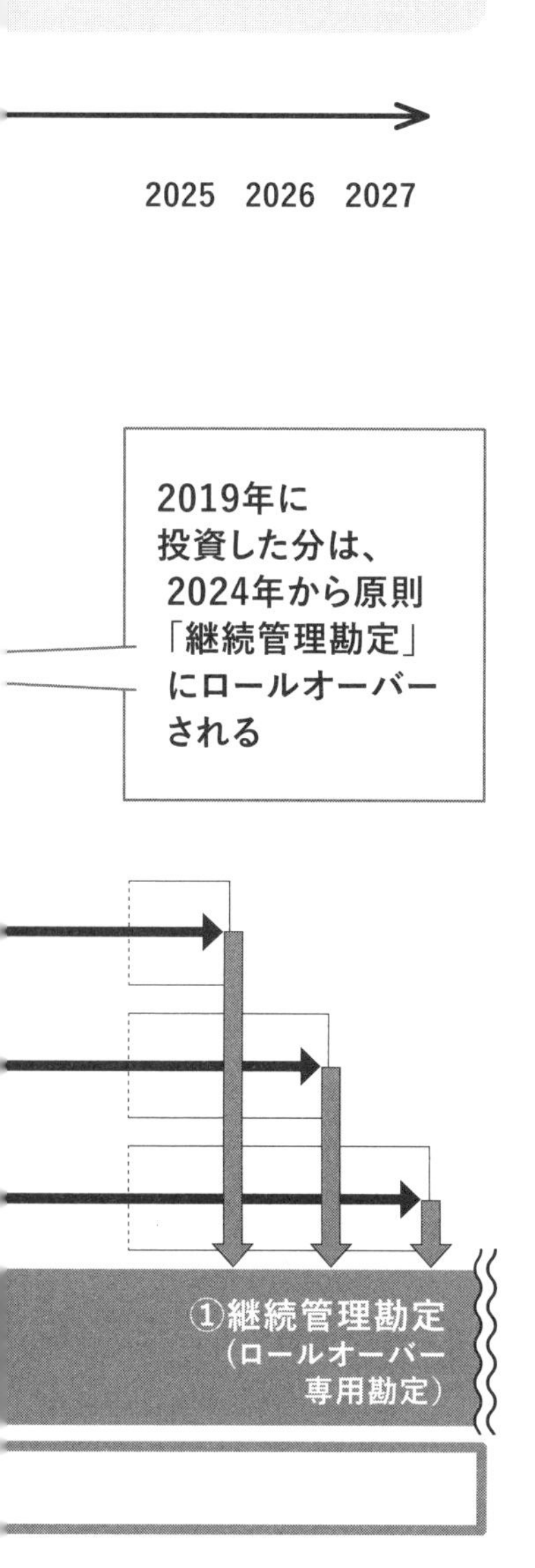

図表4-7｜非課税期間終了時のロールオーバー手続きが不要に

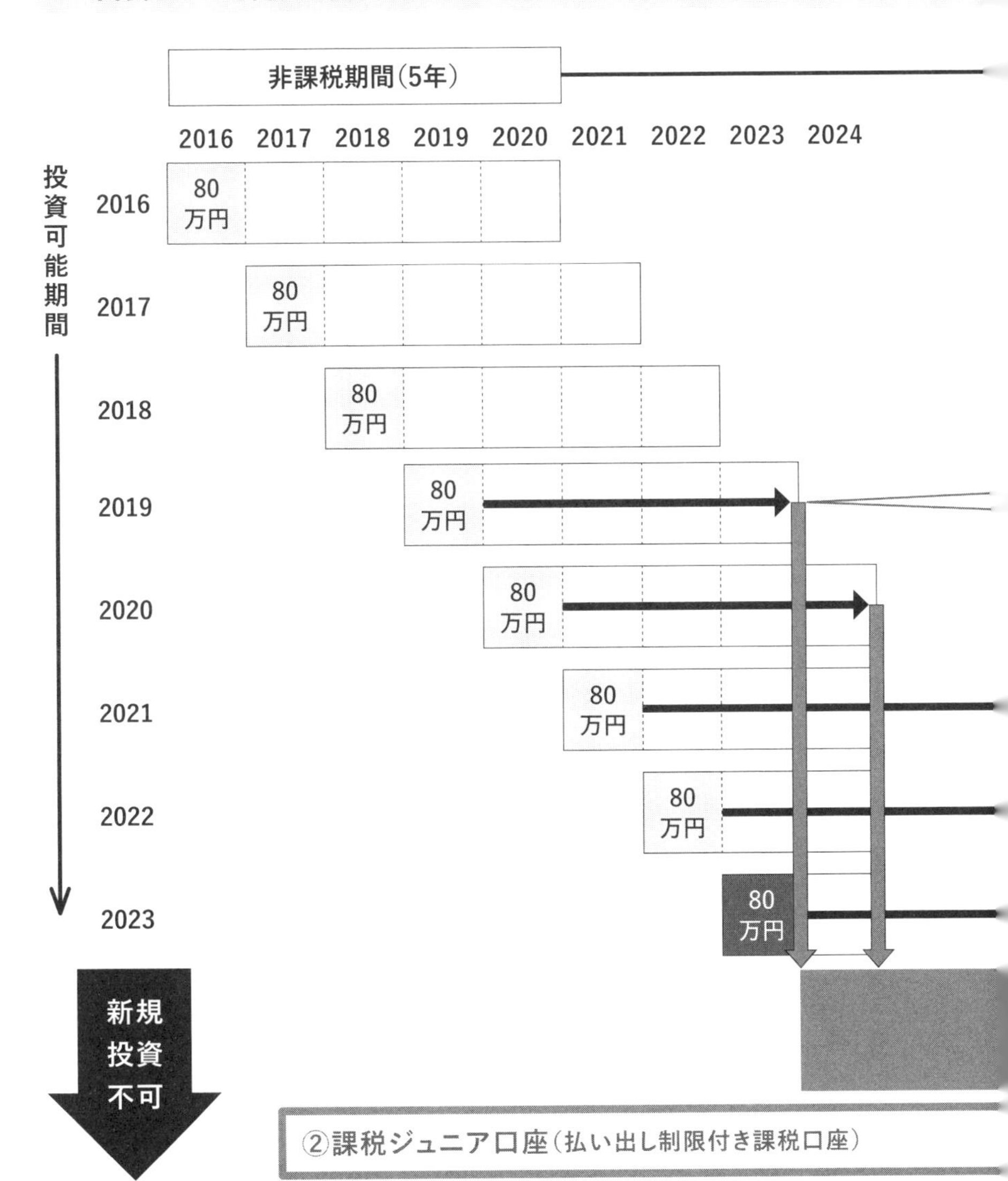

まう心配があったのです。

今回の改正で、非課税期間終了時のロールオーバーの手続きが不要となり、優先的に継続管理勘定（ロールオーバー専用勘定）に移管されることになりました。これで成人になるまで安心して非課税で運用し続けることができます（図表4－7）。

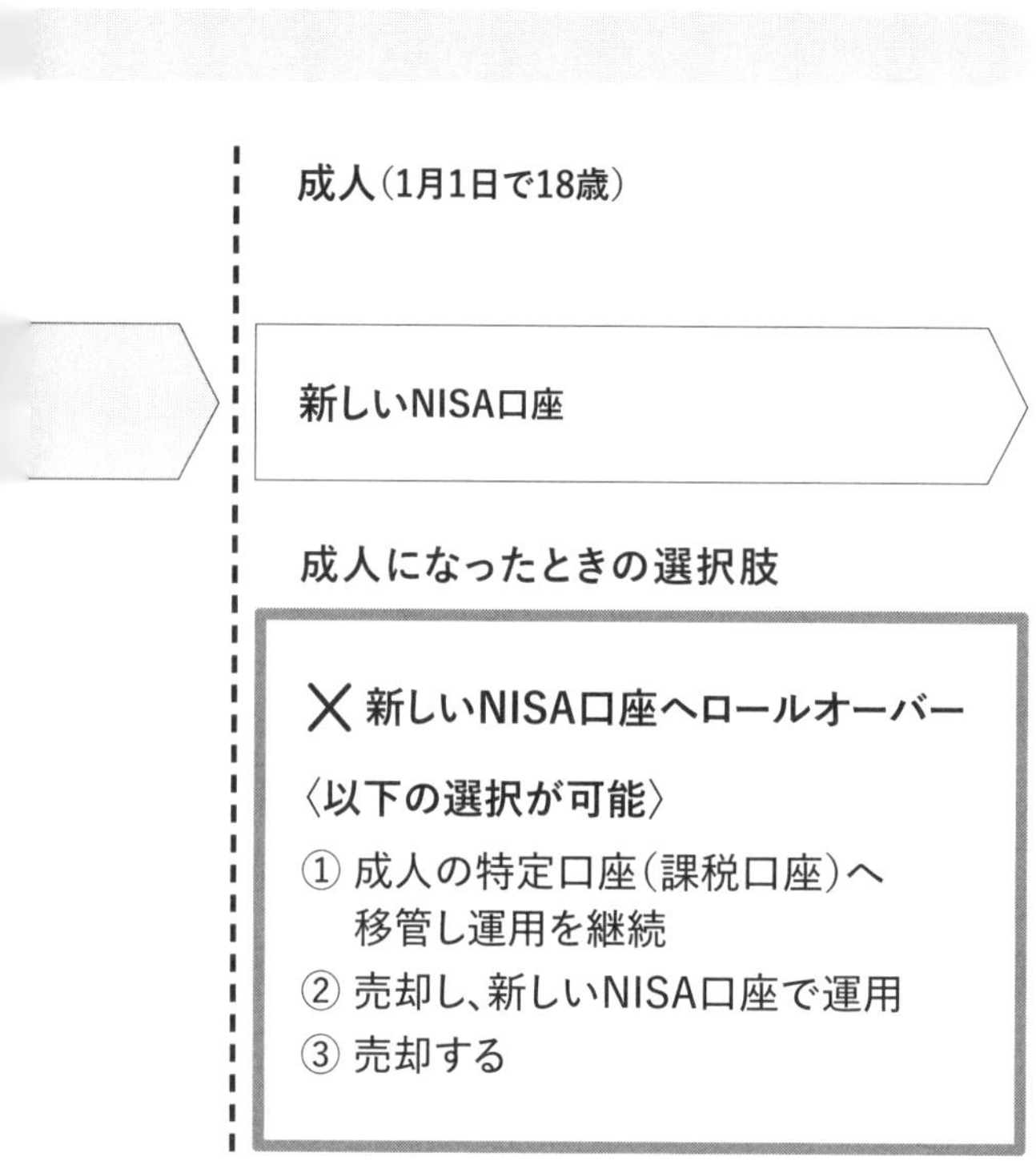

成人（1月1日で18歳）

新しいNISA口座

成人になったときの選択肢

✕ 新しいNISA口座へロールオーバー

〈以下の選択が可能〉

① 成人の特定口座（課税口座）へ移管し運用を継続
② 売却し、新しいNISA口座で運用
③ 売却する

・大人のNISAには移管できない

一方で残念なこともあります。もともとジュニアNISA口座で成人になるまで運用を続けると、成人の一般NISA口座が自動的に開設され、ジュニアNISA口座で保有する商品を一般NISA口座にロールオー

図表4-8 ｜ ジュニアNISAを成人まで運用を続けた場合

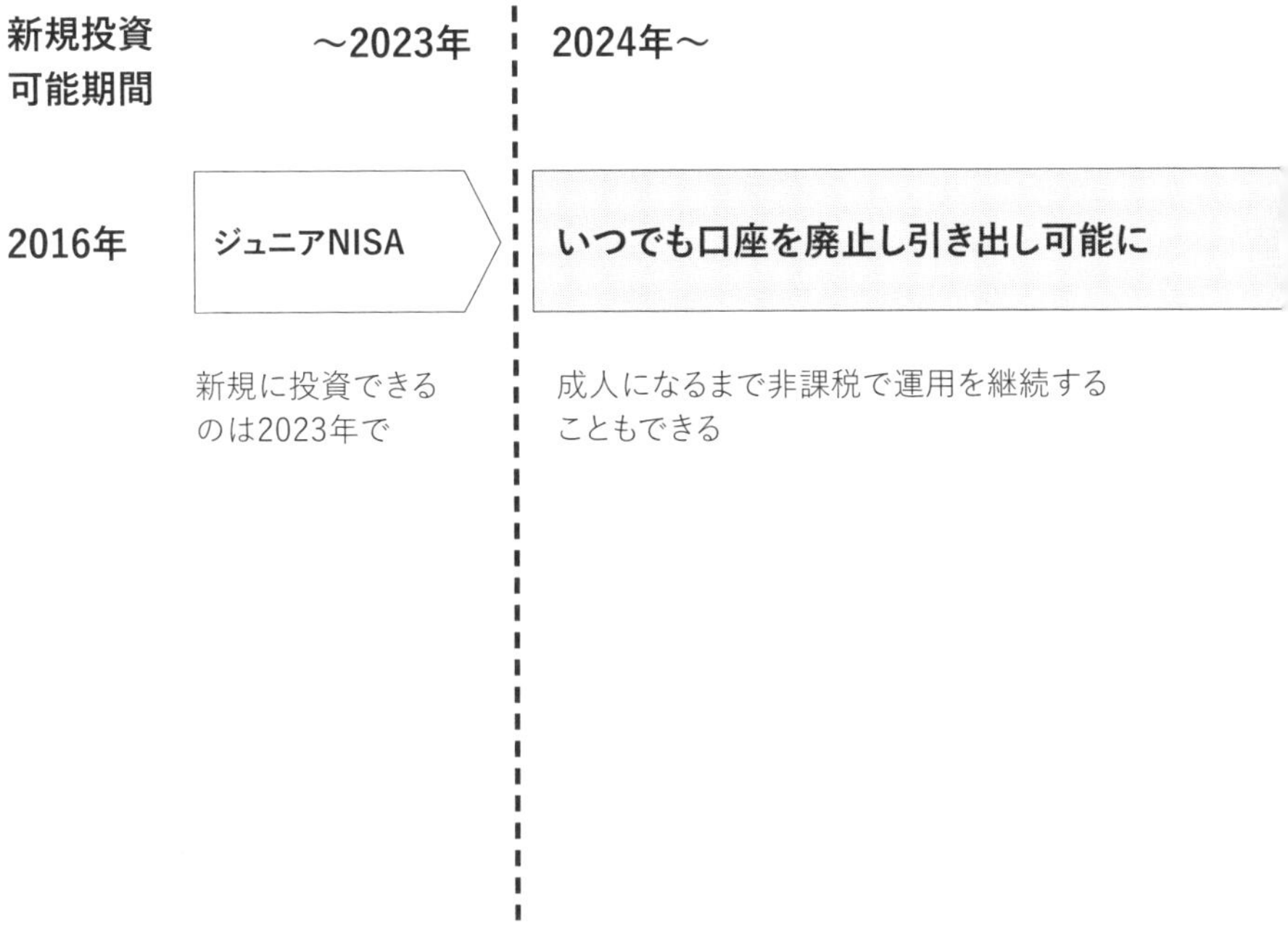

新規投資可能期間	～2023年	2024年～
2016年	ジュニアNISA	いつでも口座を廃止し引き出し可能に
	新規に投資できるのは2023年で	成人になるまで非課税で運用を継続することもできる

バーできる予定でした。

しかし、一般NISA口座の新規投資は2023年で終了するため、2024年以降に成人になる場合は、ジュニアNISAで運用していた商品を持っていく先（一般NISA）がなくなってしまいます（図表4-8）。ジュニアNISA口座の利用者は、18歳の1月1日時点で、ジュニアNISA口座を開設している金融機関に、新しいNISA口座が自動的に開設される予定ですが、保有する上場株式や投信などをロールオーバーすることはできません。保有する上場株式などは特定口座などの課税口座に移ります。

解約して、新しいNISAで新たに商品を買い付けるという選択肢もあるかもしれません。

・非居住者は即NISAの対象外に

注意点もあります。ジュニアNISAは成人のNISAと違い、海外出国時の5年非課税の適用対象外です（詳細は第1章5節参照）。そのため、海外留学や親の転勤についていくなど非居住者となる場合には、ジュニアNISA口座内で保有する商品は、一般口座（課税口座）へ払い出されます。特定口座を開設している場合には、出国前または帰国時に一定の手続きを行うことで、帰国時に特定口座に組み入れることができますが、ジュニアNISA口座には戻せません。

留学などで非居住者となる場合には口座を廃止し、引き出しておくなども検討しましょう。

◆これから子どもの投資はどうするか

最後に。「ジュニアNISAが廃止になったあとに生まれた子どもは、どのようにお金を運用していけばいいですか」という質問を受けることがありますが、ジュニアＮＩＳＡの廃止後は、残念ながら、未成年者が非課税で投資できる口座はありません。

証券会社や投信を直接販売する会社の中には、子ども名義の未成年口座（課税口座になります）を開設できるところもあります。子ども名義の口座を作りたい場合には、未成年口座を開設し、投信を積み立てていくことは可能です。ただ、課税口座ですので、利益に対しては課税されます。

一方、２０２４年から始まる新しいＮＩＳＡでは、生涯投資枠が１人当たり１８００万円（夫婦２人だと３６００万円）まで拡充されます。そちらの枠を活用して、自分たちの資産形成に加えて、お子さんの教育資金の一部にも活用してもよいでしょう。

2023年までのNISAと2024年からの新しいNISAは〝別枠〟での運用になります。つみたてNISAや一般NISAにある運用商品を新しいNISAに移管することはできません。

今後、つみたてNISAは20年、一般NISAは5年の非課税期間が終了すると、課税口座に時価で移管されます。

ジュニアNISAは2023年で廃止されます。2024年以降はいつでも引き出し可能に。成人まで非課税で運用も継続でき、5年の非課税期間終了後に必要だったロールオーバーの手続きは不要になります。

おわりに

主体的に生きる

最後までお読みいただき、ありがとうございました。

2024年からNISA制度が恒久化され、一生つきあっていける制度になりました。無理のない、自分なりの投資計画を立てて、長い目でおつきあいしていきましょう。

ただし、人生における主役はNISAではありません。主役は自分自身。NISA制度を学ぶことが大事なのではなく、自分の人生を考えて主体的に生きること。その1つとして、資産設計を考えること。その中で、税優遇のあるNISAを利用するという順番なのだと思います。

また、NISAは器です。長期でおつきあいするなら、投資対象にも目を向けてみましょう。例えば、つみたて投資枠の対象は株式に投資する投資信託や、株式を含むバランス型投信が中心です。成長投資枠では会社の株式を直接買うこともできます。株式投資というのは、株式を買って会社のオーナーの1人になること。いい会社を見つけて投資をし、長期で株式を保有することで、その会社の成長の果実を分け合う（シェア）のです。

投信を通じて株式に投資する際も、長期で資産形成をする場合には、この点は心にとめておきたいところです。そうでないと、目先の価格ばかりが気になってしまいます。少し上がったり下がったりしただけで、投資をやめてしまうのはもったいない話です。

お金のことを考えることは、足下を見つめ、これからの働き方や生き方を考えることでもあります。「人生の目的は〝しあわせ持ち〟になること」とは、I-Oウェルス・アドバイザーズ会長の岡本和久さんの言葉ですが、個人のバランスシートの資産には、金融資産だけではなく、健康や家族、交友関係、趣味、社会貢献などを積み重ねて、全体的に成長していきたいものです。本書はNISAの本ではありますが、これからの働き方、生き方について考えるきっかけになるとうれしいです。

最後に謝辞を。日経BP 日経BOOKプラス編集部 兼 日経BOOKSユニットの小谷雅俊さんには大変お世話になりました。小谷さんの的確なアドバイスのおかげで、無事に完成することができました。また、ファイナンシャルプランナーの尾上堅視さんのほか、データについてはイボットソン・アソシエイツ・ジャパンCIOの小松原宰明さん、「投資信託事情」編集長の島田知保さんにご協力いただきました。この場を借りて御礼を申し上げます。

本書がNISAの理解と、皆さまの資産形成・活用に少しでも役立つことを願っています。

竹川美奈子（たけかわ・みなこ）

LIFE MAP 合同会社 代表／ファイナンシャル・ジャーナリスト

出版社や新聞社勤務などを経て独立。2000年にFP資格を取得。取材執筆活動を行うほか、投資信託や確定拠出年金（企業型DCやiDeCo）、マネープランセミナーの講師などを務める。「コツコツ投資家がコツコツ集まる夕べ（東京）」共同幹事などを務め、資産形成・投資の裾野を広げる活動に取り組んでいる。2022年8月～金融庁 金融審議会「顧客本位タスクフォース」委員。主な著書に『50歳から始める！ 老後のお金の不安がなくなる本』（日本経済新聞出版）、『改訂版 一番やさしい！ 一番くわしい！ はじめての「投資信託」入門』『[改訂新版] 一番やさしい！ 一番くわしい！ 個人型確定拠出年金iDeCo（イデコ）活用入門』（以上、ダイヤモンド社）、『臆病な人でもうまくいく投資法 お金の悩みから解放された11人の投信投資家の話』（プレジデント社）などがある。

大改正でどう変わる？

新NISA徹底活用術

2023年 4 月20日　1版1刷
2023年12月 4 日　　9刷

著　者　竹川美奈子　© Minako Takekawa, 2023

発行者　國分正哉

発　行　株式会社日経BP
日本経済新聞出版

発　売　株式会社日経BPマーケティング
〒105-8308 東京都港区虎ノ門4-3-12

ブックデザイン・DTP　梅田敏典デザイン事務所

印刷・製本　三松堂株式会社

ISBN978-4-296-11761-1
Printed in Japan

本書籍に関するお問い合わせ、ご連絡は下記にて承ります。
https://nkbp.jp/booksQA